DECORACION DE SALAS

Título original en inglés:
Decorating The Living Room

© Cy Decosse Incorporated, 1993
© Lerner Ltda.
© Ediciones Monteverde Ltda., 1994
    Para la primera edición en castellano
    Calle 8B No. 68A-41
    A.A.8304 - Tel.: 2628200 - Fax: (571)2624459
    Santafé de Bogotá, D.C. - Colombia

Equipo editorial para la edición en castellano

Director general: Jack A. Grimberg Possin
Gerente editorial: Fabio Caicedo Gómez
Editora: Martha Forero Sánchez
Director creativo: Juan Vanegas Rodríguez
Coordinador producción: Edgar Urrego Ruiz
Traducción: A.N.S.F. Traducciones
Revisión técnica: Carlos E. González Jiménez
Armada electrónica: Francisco Chuchoque Rodríguez

ISBN: 958-9345-12-3 Obra completa
ISBN: 958-9345-15-8 Tomo
Versión en castellano.

Impreso por Lerner Ltda.
Santafé de Bogotá, D.C. - Colombia

Impreso en Colombia
Printed in Colombia

DECORACION DE SALAS

104 Proyectos e Ideas

EDICIONES

MONTE VERDE

CONTENIDO

Selección del estilo

Desarrollo de un plan de decoración

Proyectos para muebles

Arreglos de paredes y ventanas

Detalles para salones

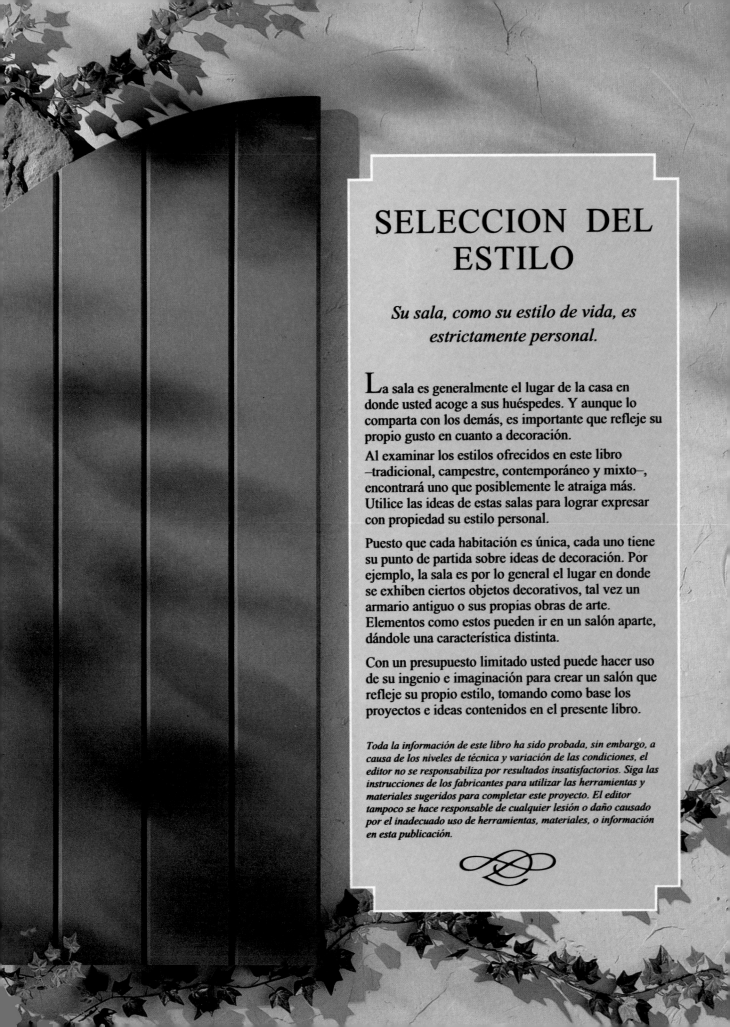

SELECCION DEL ESTILO

Su sala, como su estilo de vida, es estrictamente personal.

La sala es generalmente el lugar de la casa en donde usted acoge a sus huéspedes. Y aunque lo comparta con los demás, es importante que refleje su propio gusto en cuanto a decoración.

Al examinar los estilos ofrecidos en este libro –tradicional, campestre, contemporáneo y mixto–, encontrará uno que posiblemente le atraiga más. Utilice las ideas de estas salas para lograr expresar con propiedad su estilo personal.

Puesto que cada habitación es única, cada uno tiene su punto de partida sobre ideas de decoración. Por ejemplo, la sala es por lo general el lugar en donde se exhiben ciertos objetos decorativos, tal vez un armario antiguo o sus propias obras de arte. Elementos como estos pueden ir en un salón aparte, dándole una característica distinta.

Con un presupuesto limitado usted puede hacer uso de su ingenio e imaginación para crear un salón que refleje su propio estilo, tomando como base los proyectos e ideas contenidos en el presente libro.

ESTILO TRADICIONAL

La decoración tradicional combina una amplia gama de tejidos y lanas con el toque de lo antiguo.

La decoración tradicional abarca muchas épocas y comprende diseños de muebles desde los europeos elegantes, hasta los más sencillos como los coloniales norteamericanos. Muchas de las copias modernas ofrecen la misma belleza perdurable que las antigüedades, las cuales son cada vez más difíciles de adquirir.

Se pueden combinar muebles de diferentes épocas en un salón tradicional; el estilo y los materiales seleccionados determinarán el grado de formalidad: las sedas finas, los damascos y la tapicería son los más sobresalientes del modelo tradicional. Otros tejidos menos formales son los de textura de lana y los de satines de algodón.

Los accesorios deben elaborarse elegantemente. Los retratos y las pinturas en vidrio combinan con marcos grabados o dorados. Las mesas de maderas finas oscuras pueden llevar bellos arreglos florales frescos. La iluminación debe resaltar el ambiente de calidez y a la vez destacar los muebles.

Varios de los objetos mostrados aquí pueden elaborarse siguiendo las intrucciones que presenta este libro.

1. *Mueble remodelado (pág. 36)*

2. *Sillón tapizado (pág. 43)*

3. *Molduras para marcos de pared (pág. 68)*

4. *Cortinas laterales colgantes (pág. 79)*

5. *Elaboración de lámpara de mesa (pág. 86)*

6. *Paspartú y marcos (pág. 92)*

7. *Cojines decorativos (pág.101)*

8. *Arreglos florales (pág. 119)*

MAS IDEAS PARA UNA SALA TRADICIONAL

Las velas *(a la izquierda) le imprimen un cálido brillo a un ambiente tradicional. Seleccione candelabros de pared o candeleros de acabados detallados en bronce o plata.*

Una colgadura para cuadros *en tela de tapiz (a la derecha) le confiere un aire de importancia a un par de marcos ornamentados.*

Este arreglo decorativo para mesa *(pág. 124) de accesorios de un diseño bien equilibrado (abajo) tiene un efecto de formalidad.*

Los pufs (u otomanos) recubiertos con paño de tapicería y galones o trencillas decorativas en los rebordes adquieren una apariencia tradicional. Dé un nuevo acabado a los muebles antiguos (pág. 36) para restaurar el brillo y belleza originales de la madera. Luego tapice el puf tal como se hace con una silla auxiliar (pág. 43), pero sin incluir referencia alguna para los brazos.

Un arreglo de flores frescas en un cántaro de plata imprime un toque de elegancia.

Esta pecera oriental sirve como base para la superficie de vidrio de una mesa original (pág. 62).

ESTILO CAMPESTRE

*La decoración campestre, de
características versátiles, es alegre,
acogedora y confortable.*

La decoración campestre de estilo acogedor y versátil,
puede imprimir muchos ambientes o atmósferas diferentes.
Ya sea que la sala posea el aspecto de una casita de campo
inglesa ligeramente romántica o de muebles auxiliares de
una casa de granja, el resultado final es el de una sala
rebosante de una hospitalidad y familiaridad de antaño.

Los muebles antiguos diseñados a mano son un elemento
clave en muchas salas campestres. Las telas a cuadros, los
tweeds y una variedad de estampados le dan una calidez
informal provista de textura. Complemente los muebles con
el brillo cálido de las lámparas de mesa y de piso.

Los detalles decorativos de realce para sala incluyen a
menudo artículos antiguos de colecciones, seleccionados
debido a su encanto sentimental. Los edredones y
accesorios tales como juguetes y herramientas antiguos le
dan carácter a una sala campestre. La atmósfera hogareña
está a cargo de las flores secas y los bouquets informales.

Varios de los elementos que aparecen aquí pueden ser
elaborados siguiendo las instrucciones que se dan en el
presente libro:

1. *Creativas mesas en
   vidrio (pág. 62)*
2. *Modelos de estarcido
   (pág. 72)*
3. *Decoración de ventanas
   con hiedra (pág. 83)*
4. *Elaboración de lámparas
   de mesa (pág. 86)*
5. *Paspartú y marcos (pág. 92)*
6. *Cojines decorativos
   (pág. 101)*
7. *Arreglos florales (pág. 119)*

MAS IDEAS PARA UNA SALA CAMPESTRE

Los animales de madera, de antigüedad, *como este caballito de balancín de la foto superior, le confieren carácter a una sala campestre, a la vez que representa un nostálgico recuerdo del pasado.*

La rociadora *ha sido transformada en una lámpara de mesa (pág. 86). El estarcido (pág. 72) contribuye al aspecto campestre.*

La banca jardinera, curtida a la intemperie, *resulta ser una interesante y accesible mesa de café.*

Las canastas (foto superior), de formas y tamaños variados, crean un interesante arreglo de pared.

Los edredones de telas de diferentes patrones (a la derecha) se emplean frecuentemente en salas campestres. Las telas con motivos florales y telas escocesas para tapizados, producen un efecto de vivacidad. Con la utilización de las mismas técnicas aplicadas para los sillones de la pág. 43, el tapizado de un puf resulta sencillo.

La vajilla de té de coleccionista, dispuesta en una bandeja de coctelera, sugiere el encanto de la hospitalidad campestre.

ESTILO CONTEMPORANEO

La decoración contemporánea, de estilo descomplicado, brinda espacios refinados de vivienda.

De gran estilo, los muebles y accesorios de una sala contemporánea se destacan entre los colores discretos de fondo y los arreglos de ventanas de bajo perfil, lo que produce una sensación de armonía y serenidad. Sofisticación y refinamiento son el resultado final.

En una sala contemporánea la simplicidad es un elemento clave, de tal manera que cada elemento reciba la atención que se merece. Los arreglos de amoblado se hacen comúnmente para darle a la sala un ambiente abierto y amplio. El aspecto general se puede suavizar por medio de muebles tapizados de perfiles nítidos y de arreglos modulares.

Entre los accesorios de las salas se incluyen generalmente piezas representativas de géneros de arte, seleccionados con esmero para producir un efecto dramático, cromático y estético. Con la luz indirecta es posible contribuir más al impactante ambiente de una sala contemporánea.

Varios de los elementos que se ilustran en el recuadro se elaboran siguiendo las instrucciones del presente libro:

1. *Pufs tapizados (pág. 51)*
2. *Creativas mesas en vidrio (pág. 62)*
3. *Paspartú y marcos (pág. 92)*
4. *Cojines decorativos (pág. 101)*
5. *Detalles en papel maché (pág. 110)*
6. *Arreglos con arbustos secos (pág. 122)*

MAS IDEAS PARA·SALAS CONTEMPORANEAS

Mesa de vidrio *(pág. 62) con una base de cubo. El cubo, colocado diagonalmente, puede llenarse con bloques de madera u otros detalles atrayentes.*

Las lámparas, *en la decoración contemporánea, sirven como accesorios y a la vez como fuentes de iluminación. Ilumine el cielo raso con un candelabro de pared (foto superior derecha). O provea iluminación de oficio por medio de una lámpara elaborada de una jarra (foto inferior derecha), como se ilustra en la pág. 86.*

Este collage en papel maché *(pág. 110) posee un atractivo dimensional. Se utilizó malla de alambre para la base del maché.*

Este arreglo decorativo de mesa *(pág. 124) muestra una combinación de accesorios contemporáneos.*

El paspartú *(pág. 92) da la sensación de un borde asimétrico de arte contemporáneo, tal como se ilustra a la izquierda. Simples diseños geométricos se pintaron sobre el paspartú.*

Este tapete pintado a mano *(pág. 106) es una pieza de arte contemporáneo.*

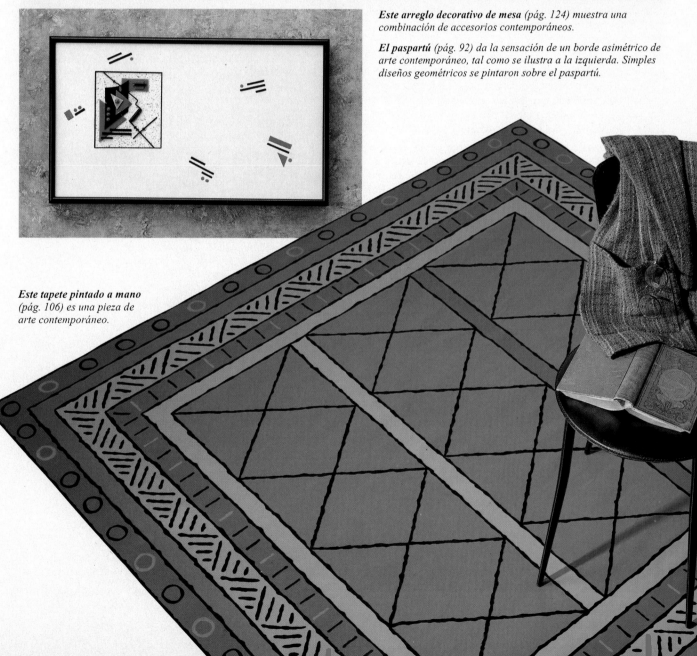

ESTILO TRANSICIONAL (mixto)

La decoración transicional combina lo antiguo con lo moderno para producir una visión fresca y atrayente.

De estilo personal, la decoración transicional armoniza con mobiliarios de diferentes épocas. Los elementos combinados cuidadosamente pueden darle a una sala mixta un aire único que no es posible conseguir siempre con proyectos de decoración limitados a un solo estilo.

En una sala mixta, un fondo discreto permite que sobresalgan los elementos individuales, acompañados con frecuencia de un descomplicado arreglo para ventanas. Seleccione piezas grandes de mobiliario que tengan simples líneas rectas. Como contraste, agregue piezas pequeñas de suaves líneas curvas, tales como mesas y sillas de madera tallada.

Los accesorios de la sala se pueden limitar a unos cuantos elementos que destaquen. Piezas contrastantes en estilo, como platos decorativos antiguos y de pinturas contemporáneas, dan realce. Para lograr una iluminación tenue utilice instalaciones finas empotradas o discretas para la iluminación general, y para la iluminación de oficio, lámparas de mesa.

Algunos de los elementos aquí mostrados pueden ser elaborados siguiendo las instrucciones de este libro:

1. Sillón tapizado (pág. 43)
2. Estilos de marcos para mueble (mesa) (pág. 57)
3. Cortinas con ojales y cordón (pág. 80)
4. Lámpara de mesa (pág 86)
5. Paspartú y marcos (pág. 92)
6. Cojines decorativos (pág. 101)
7. Tapetes pintados a mano (pág. 106)

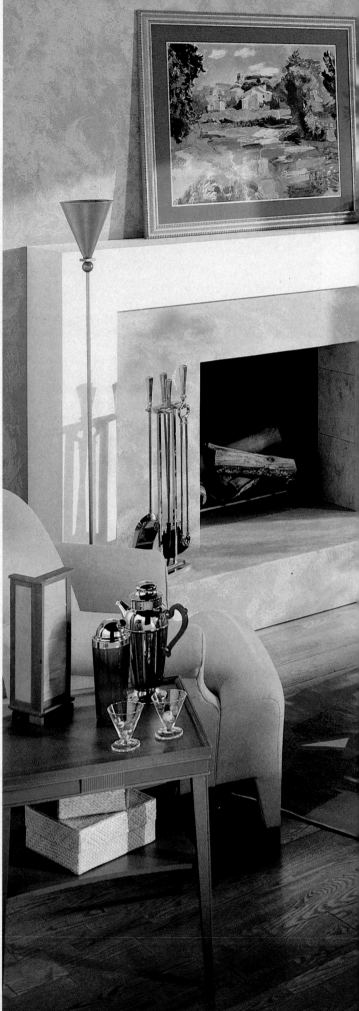

MAS IDEAS PARA UNA SALA MIXTA

El riel para cortina en hierro forjado *(pág. anterior) añade textura e interés. Los talleres que se especializan en materiales ornamentales le podrán configurar una forma de riel en hierro según sus especificaciones.*

Una colección de arte *(a la izquierda), de diferentes partes del mundo, adquiere más impacto e importancia si se exhibe en grupo.*

Un reloj de péndulo *(abajo) se lleva bien en un medio mixto debido a que su diseño tradicional se ha modernizado gracias a materiales contemporáneos.*

La lámpara tradicional, *(abajo) está hecha de una jarra de alfarería, tal como la que aparece en la pág. 86. Un marco de hierro sirve de base a la jarra.*

*Una **alfombra persa** le da un toque exótico y milenario a una sala mixta.*

Los puntales ornamentados *sostienen una repisa de vidrio, en la que se han combinado elementos tradicionales y contemporáneos para producir un efecto mixto único.*

Este ramillete floral *(pág. 119) combina elementos de estilo campestre con un arreglo de escultura contemporánea, resultando una visión mixta.*

Desarrollo de un plan de decoración

DISPOSICION
DE UNA SALA

La disposición de una sala puede resultar más fácil de planear si se elaboran modelos a escala. Se pueden comprar equipos para maquetas como mobiliario a escala pre-cortados.

Ya sea que vaya a redecorar toda la sala o simplemente quiera engalanar un esquema de decoración existente, desarrolle un plan de trabajo para el proyecto correspondiente. Las fuentes de inspiración son múltiples. Observe lo que le gusta al ojear libros y revistas o al visitar estudios y casas de decoración.

Decida qué estilo decorativo y qué nivel de formalidad desea, teniendo presente el estilo de muebles que le hacen sentir más cómodo. Probablemente preferirá un estilo elegante y tradicional o un aspecto algo más informal del estilo campestre.

Observe los detalles arquitectónicos de la sala; las molduras cóncavas son de estilo tradicional, mientras que los guardasillas de roble sugieren una influencia campestre. Tenga en cuenta que se pueden combinar los estilos si se

pretende un proyecto de decoración mixto. Los amoblados contemporáneos pueden resultar un contraste impactante para la arquitectura tradicional.

Cuando planee la disposición de la sala, ponga empeño en lograr una estética y crear un plan funcional que se acomode a las necesidades de su familia. Resulta útil visualizar la sala vacía, ya que el espacio mismo sugiere la manera de enfocar el plan de decoración.

La colocación de muebles y accesorios en la sala puede magnificar ciertos elementos y minimizar otros. Piense en un arreglo equilibrado del amoblado que posea un punto central dominante. El punto central puede ser una chimenea ya existente o una ventana con una vista excepcional. O quizás un nuevo elemento, tal como una pintura impactante o un mueble inusualmente grande.

IDEAS PARA
LA DISPOSICION
DE SALAS

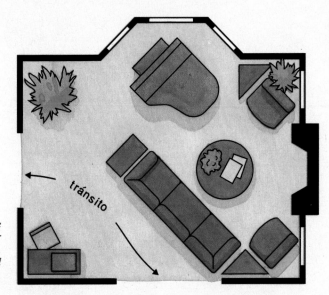

Los patrones de tránsito normal sirven de guía para la colocación de los muebles en una sala. Observe cómo se desplazan las personas por la sala y de un salón a otro y ubique los muebles para dirigir el tránsito, tal como se ilustra a la derecha, evitando que no se interrumpa el escenario de las conversaciones en la sala.

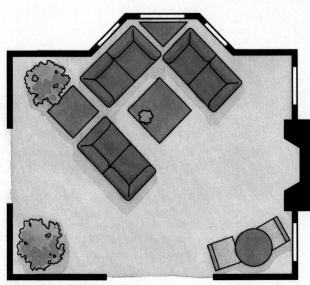

El arreglo diagonal de los asientos puede darle mayor vida a una sala y brindar un área de conversación acogedora. Los espacios entre asientos no deben exceder de 2,5 m si se quiere una buena área para conversaciones.

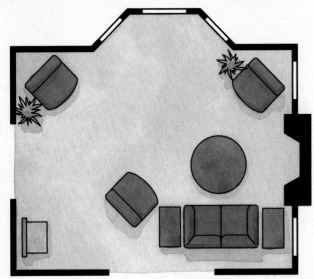

Los sillones extras pueden colocarse en las esquinas de la sala, lo que permite una ubicación individual. Cuando se tenga un grupo mayor de personas en medio de una charla, se podrán acercar al grupo.

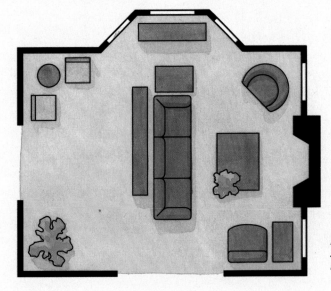

Dos o más áreas de sillas se sugieren para crear un ambiente más íntimo en una sala grande.

COLORES, PATRONES Y TEXTURAS

Los colores influyen en el aspecto general de una sala: la hacen cálida y acogedora o agradablemente fresca. Seleccione un esquema de color que responda a sus preferencias personales, la predisposición de ánimo que desea crear y la iluminación de la sala.

El punto inicial para la selección de un esquema de color puede corresponder a una pintura especial, una alfombra oriental o el paño que desea utilizar para las cortinas o el sofá.

Un paño de decoración funciona bien como punto inicial, puesto que el diseñador de paño ha seleccionado previamente una paleta de colores y se podrán conseguir otros elementos decorativos para el hogar en los mismos colores.

Decida qué colores de paño va a utilizar y distribúyalos por toda la sala. Por lo general, se utiliza el color más apagado o el más claro para las áreas mayores de la sala, como paredes, y un color más vivo para arreglos de los pisos y ventanas. Reserve el color más vivo o más intenso para los detalles de realce.

Los accesorios en colores contrastantes *añaden vida a una sala que sin ellos se vería muy apagada. Arriba, los muebles neutros se realzan con colores vivos y cálidos de los detalles decorativos. Abajo, los accesorios negros le dan un contraste atrevido y sorprendente.*

Repita el mismo color en varios elementos, a fin de que la sala quede unificada, pero agregue interés a la sala combinando superficies texturizadas junto con superficies lisas. Por ejemplo: uno de los colores de pintura en aceite se podrá repetir para un jarrón de cerámica de superficie lisa y el tejido nudoso de un sillón. Las variaciones de textura son particularmente importantes cuando se selecciona un esquema monocromático de color. La textura de bouquets naturales secos o de maderas pulidas pueden agregar una calidad de vivacidad a colores sutiles.

Al seleccionar los accesorios de una sala no es preciso escoger artículos que armonicen exactamente. De hecho, resulta más interesante en muchas ocasiones si los tonos de los colores varían en cierto grado, y no obstante, se funden bien.

Las variaciones de textura le proporcionan a un esquema de color neutro un aspecto más intenso. En la foto de la izquierda aparece una silla de cuero suave que contrasta con un cojín de gamuza. Las varas rizadas de sauce en una canasta de mimbre y en una lámpara le agregan un atractivo dimensional.

Los patrones mezclados se pueden combinar satisfactoriamente. Seleccione un patrón como el paño primario para la sala, con tiras adicionales, motivos florales o escoceses como secundarios, y paños para detalles decorativos. Varíe la escala de los patrones teniendo presente en qué lugar se colocarán los paños. Los estampados pequeños animan un espacio limitado, pero pueden perder su impacto si se utilizan para un elemento mayor, como un sofá o las cortinas.

La pintura inspiró el esquema de color para los accesorios vívidos de esta sala.

Los amoblados no relacionados se pueden unificar gracias al color. Aquí, los colores del sillón de orejas tradicional y la alfombra de área se seleccionaron para la mesa campestre y la lámpara contemporánea.

PLANEACION DE LA ILUMINACION

Un proyecto de iluminación creativo y bien planificado constituye parte fundamental de la decoración. En las salas en las que se combinan diversos tipos de iluminación y niveles de luces, la iluminación resulta mucho más atractiva que en aquellas salas de iluminación central. Los esquemas eficientes de iluminación pueden realzar los muebles, a la vez que hacen más acogedora la sala y crean un efecto impactante.

Existen tres categorías básicas de iluminación: Iluminación general, de oficios específicos y de realce. Estas tres categorías se incluyen en una sala. La iluminación general proporciona un nivel de luz para toda la sala. La iluminación de oficios ilumina las áreas de lectura o de trabajo. La iluminación de realce se utiliza para atraer la atención sobre objetos decorativos particulares o para crear determinado ambiente en la sala.

TIPOS DE INSTALACIONES FIJAS

El tipo de iluminación de instalaciones fijas dependerá de sus necesidades de iluminación general, de oficios o de realce que seleccionará para cada área de la sala. Las lámparas de antorcha y los candelabros de pared son la fuente principal de la iluminación general, mientras que las lámparas de mesa se usan para iluminación de oficios o de realce. Unos tipos de lámparas como las de brazo de balanceo y las de farmacia, brindan flexibilidad al permitir que la dirección de la luz sea ajustable.

Las instalaciones fijas de iluminación no sólo le dan vida a la sala sino que también sirven como accesorios. Las lámparas de cristal, bronce y porcelana complementan las salas tradicionales, mientras que las instalaciones fijas de metal pintado o de cromo se aplican para estilos contemporáneos. Los materiales rústicos como el hierro y la madera forjados se utilizan generalmente en la decoración campestre.

Para la selección de una lámpara, tenga en cuenta el estilo de la pantalla de la misma, no sólo desde el punto de vista de su diseño sino además de su funcionalidad. Las pantallas de telas de colores claros o de plástico filtran la luz, mientras que las pantallas de papel negro bloquean la fuente de luz y la dirigen hacia arriba o hacia abajo.

TIPOS DE BOMBILLAS

Cuando seleccione las lámparas, piense si el tipo de iluminación que desea es el incandescente, halógeno o fluorescente. Cada tipo de bombilla posee sus propias ventajas.

Las bombillas incandescentes emiten una luz cálida. Empleada en todos los tipos de decoración, el cálido brillo de la iluminación incandescente resulta particularmente apropiada para el realce de la calidez y magnificencia de los estilos tradicional y campestre. Es por ello que la mayoría de lámparas tradicionales y campestres han sido diseñadas para bombillas incandescentes.

Las bombillas halógenas emiten una luz que se asemeja mucho a la luz natural solar. No obstante su reducido tamaño, brillan a una mayor temperatura y con una intensidad que triplica la de las bombillas incandescentes. Una bombilla halógena de 20 vatios emite una intensidad de luz equivalente a la de una bombilla incandescente de 60 vatios. El costo de una bombilla halógena es superior, su vida útil es mayor y en el mejor de los casos, sólo requieren 12 vatios de potencia. Otra ventaja de estas pequeñas bombillas es la permitir la regulación del haz luminoso en la iluminación de oficios o para realzar obras de arte. En las lámparas 'torchière' o lámparas antorcha, unas bombillas halógenas de mayor potencia en vatios producen un haz de luz más amplio y suave. La mayoría de lámparas contemporáneas vienen diseñadas para bombillas halógenas lo cual no implica que se deje de usar en otros estilos decorativos.

Las bombillas fluorescentes representan una opción económica de iluminación que se emplea fundamentalmente cuando el ahorro de energía es una precaución significativa. Las bombillas fluorescentes, cálidas o refrigeradas, no emiten tanto calor como las bombillas incandescentes o las halógenas. Por otra parte, es posible adaptar una lámpara de mesa diseñada para iluminación incandescente para ser utilizada con una bombilla fluorescente compacta.

Observe detenidamente el arreglo de la sala para deducir en qué sitios se precisa de iluminación. Por ejemplo: las luces de oficio para la lectura se necesitan por lo común cerca de los sofás o sillones, en tanto que la iluminación general se aplica para avivar y complementar aquellos rincones de la sala que de otra manera permanecerían en penumbra. La iluminación de realce complementa el esquema de iluminación proporcionando un efecto de atmósfera e impacto.

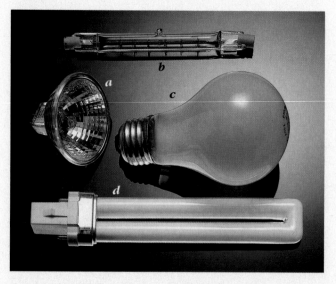

Los tipos de bombillas incluyen las bombillas halógenas, con reflectores (**a**) o sin ellos (**b**); las bombillas incandescentes (**c**), y las bombillas fluorescentes compactas (**d**).

Iluminación de oficio. *Es práctica común utilizar las lámparas de mesa para la iluminación de oficio, con la parte inferior de la pantalla situada entre el nivel de la vista de la persona y sus hombros. Con una pantalla cónica se obtiene una mayor iluminación sobre el área de trabajo y menor iluminación por encima de la misma.*

Iluminación de realce. *Una lámpara pequeña es suficiente para dar una iluminación de realce a los objetos decorativos de una arreglo de mesa, sin ocupar un excesivo espacio.*

Iluminación general. *Las lámparas antorcha o 'torchière' brindan una buena iluminación general y no pocas veces se utilizan para darle vida a un rincón sombrío de la sala. Su luz se proyecta hacia el techo y se refleja hasta las paredes.*

MAS IDEAS PARA ILUMINACION

Un trío de luces colgantes penden sobre una mesa auxiliar, proyectando luz sobre los accesorios del decorado de la mesa (pág. 124). El estilo único de la instalación fija le da una elegancia decorativa al arreglo.

La iluminación orientable ofrece una iluminación general de pared con proyectores individuales ubicados para realzar las piezas especiales de arte. Las luces halógenas de estos proyectores son particularmente eficaces para aumentar el destello de los accesorios de cristalería.

La luz en contrapicado, oculta tras una planta, proyecta un espectacular haz de luz sobre paredes y techo. La instalación fija de estilo de cilindro, a la derecha, se puede ocultar fácilmente.

Las lámparas de candelero, de cálido fulgor, armonizan con los cálidos colores en la sala de la foto superior.

Las luces a manera de candelabro de pared determinan la disposición de ánimo y crean el efecto espectacular de la sala a la izquierda, a la vez que aumenta el nivel general de iluminación.

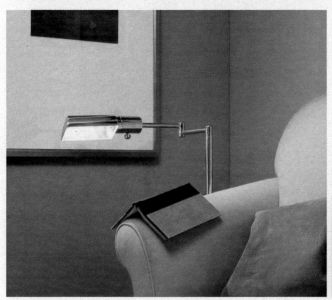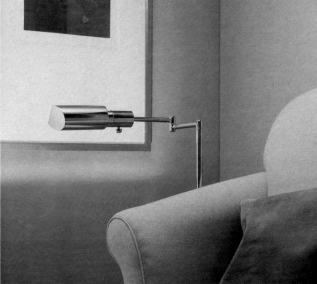

La lámpara de farmacia, colocada en un extremo del sofá, proporciona iluminación para la lectura (izq.). Con la pantalla vuelta hacia la pared, la misma lámpara enfoca la pintura (derecha).

Proyectos
para muebles

REMODELACION DE MUEBLES

Gracias a la remodelación de muebles viejos, es posible agregar estas piezas a la sala sin mayores costos. Utilice artículos de algunos almacenes o en el mercado de pulgas para darle personalidad a su esquema de decoración.

Al escoger los muebles para su remodelación seleccione piezas sólidas y bien construidas. Busque los distintivos de una construcción de calidad tales como gavetas con ensamblaje o cola de milano y construcción de marco de unión de caja y espiga. Generalmente, las piezas pesadas constituyen una señal de una sólida construcción de madera. Si los muebles tienen bordes curvados, fisuras o faltan partes, es probable que precisen una reparación profesional.

Si una pieza ya ha sido pintada, trate de determinar si la pintura se aplicó sobre la madera en sí misma o sobre una capa de barniz. Será difícil quitar toda la pintura de la fibra o trepa de la pieza que ha sido pintada sobre la propia madera, incluso con una lijada a fondo; dichas piezas probablemente tendrán que volver a ser pintadas. Las que se han pintado sobre barniz, generalmente poseen una superficie de madera atractiva bajo la capa de barniz.

Existen dos métodos para remover químicamente los viejos acabados. Utilice un remodelador para disolver los acabados de barniz, laca y goma-laca sin remover el tinte original. Utilice un agente desprendedor para remover la pintura, el barniz, la laca, la goma-laca o el poliuretano de los acabados. Por lo general se prefiere un remodelador a un desprendedor, debido a que es más fácil de utilizar y preserva la calidad auténtica de la pieza.

En caso de que desee cambiar el color del tinte, aplique un desprendedor. Es posible que también sea preciso lijar a fin de remover cualquier residuo de tinte que haya penetrado a la madera. En vista de que resulta muy difícil remover toda la tintura de la fibra, se tendrá que retinturar la madera de un color que sea más oscuro que el tinte original.

Los desprendedores vienen en varias presentaciones. Los de consistencia espesa son más adecuados para las superficies verticales. La forma líquida funciona bien para rincones y tallados de difícil acceso; igualmente, trabaja muy bien como la capa final de desprendedor, una vez que se ha removido la mayor parte del viejo acabado. Los desprendedores a base de agua son no-cáusticos y fáciles de aplicar; sin embargo, son más demorados, además de que el enjuague de agua puede llegar a levantar la fibra de la madera con el consecuente efecto perjudicial para los pegantes de base de agua que se utilizan en la construcción de estructuras.

En caso de que el desprendedor no remueva el acabado original satisfactoriamente o si la calidad de la madera es deficiente, aplique una pintura de esmalte. Los esmaltes en aceite tienen mayor duración que los de látex y cuan más brillante sea su acabado de pintura, mayor será su durabilidad.

Para determinados muebles, tal vez sea aconsejable pensar en aplicar los acabados en pintura y en tintura, ya sea por ejemplo pintando la superficie manchada de una mesa o tinturándole las patas.

Utilice aceite de tung (o de palo) si desea un acabado fácil de aplicar sobre tintura y que brinde una buena protección. El aceite de tung oscurece la madera y realza la fibra, dejando un acabado a mano muy atractivo. Si se quiere un acabado muy durable sobre la tintura o pintura, aplique barniz de buena calidad.

Al remodelar muebles, trabaje en un espacio bien ventilado y evite inhalar partículas o vapores; es aconsejable colocarse un protector o un respirador. Póngase guantes de caucho y anteojos protectores. Cubra la superficie de trabajo con varias capas de papel periódico; no utilice plásticos para proteger el suelo.

MATERIALES

ELEMENTOS BASICOS
- Guantes resistentes a sustancias disolventes
- Vasijas viejas de metal o jarrón de vidrio de boca ancha
- Paño de hilván
- Periódico; trapos blancos suaves absorbentes
- Alcohol mineral para limpieza

PARA REMOVER
- Removedor
- Viruta # 0; papel de lija de grano grueso y grano fino.
- Brocha usada de cerdas naturales; espátula para masilla

PARA REMODELAR
- Remodelador
- Toallas de papel
- Viruta # 0000

PARA TINTURAR
- Tintura para madera

PARA PINTAR
- Imprimante
- Esmalte en aceite o pintura de látex; brocha
- Papel de lija de grano fino

PARA EL ACABADO EN ACEITE DE TUNG
- Aceite de tung (o de palo)
- Viruta # 0000; papel de lija de grano fino

PARA EL ACABADO DE BARNIZ
- Sellador de lijado
- Barniz
- Papel de lija de grano fino; brochas de espuma

Lave completamente el mueble con agua jabonosa y un trapo antes de remodelarlo; retuerza el trapo para evitar el exceso de agua. Lave las piezas excesivamente sucias o grasosas con una pequeña cantidad de detergente con fosfato trisódico.

Desmonte tanto como sea posible el mueble. Retire elementos metálicos como perillas, goznes y la tapicería.

Ensaye los productos que va a utilizar en un punto poco notorio como un botón o el respaldo de una pieza.

Evite rayar la madera con la espátula de masilla redondeando los ángulos de ésta; lime los ángulos con una lima metálica o un papel de lija de grano grueso.

Lije las áreas curvas o pequeñas con una tira de papel de lija.

Lije las áreas llanas con un bloque de papel de lija. Haga un bloque de lijado pegando fieltro a la base y los lados de un pedazo de madera; corte el papel de lija para envolverlo en ese bloque.

RE-ENCOLADO Y REFUERZO DE LAS UNIONES

1 **Re-encolado.** Separe las uniones flojas ligeramente con un martillo y un pedazo de madera sobrante para proteger la superficie de la madera del mueble.

2 Quite el pegante viejo con un escoplo o cuchillo; raspe las superficies hasta exponer la madera en bruto, utilizando una lima gruesa.

3 Aplique cola o pegante de madera en ambas superficies; aplíqueles presión. Limpie el exceso de pegante. Afirme la unión con tiras de tela, abrazaderas o en prensa.

Refuerzo. Aplique una chapa de ángulo metálico al respaldo del lado inferior de la pieza en donde la chapa de metal no se vea. Perfore orificios para tornillos.

2 Deje que el removedor suavice el acabado por el lapso de tiempo recomendado por el fabricante; el removedor actuará en tanto esté húmedo y por lo general remueve una capa a la vez. Con una espátula para masilla quite el acabado, raspándolo, aplicándola en dirección de la fibra de la madera; si el acabado se levanta fácilmente, deje que el removedor actúe más tiempo. Limpie el acabado removido sobre un periódico o pedazo de cartón.

1 Vierta una pequeña cantidad de removedor en un recipiente. Pasando una brocha en un solo sentido, aplique abundante removedor en un área no mayor de 92 cms (36").

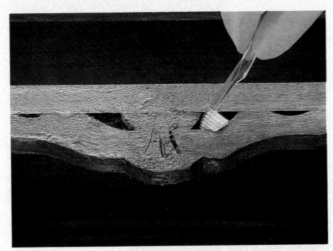

3 Repita los pasos 1 y 2 hasta que aparezca la madera lisa. Retire el acabado de las áreas de difícil acceso o de difícil remoción, con un cepillo de dientes viejo o un cepillo suave de cerdas de metal.

4 Refriegue la superficie afectada por el removedor con viruta # 0 para quitar el exceso de acabado y removedor.

5 Aplique una capa delgada de removedor con una viruta # 0 en un área de 31 cm (12") cuadrados, quitando todo residuo. Limpie con papel toalla. Deje secar completamente. Si es preciso, lije la madera utilizando un papel de lija de grano grueso, para remover las imperfecciones o las trazas restantes de la tintura o pintura. Repare las uniones flojas como se indicó antes.

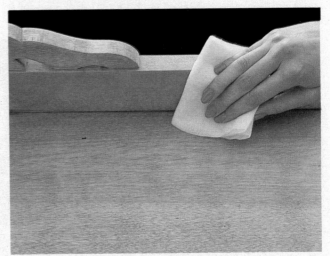

6 Lije la madera con una lija de grano fino para obtener una superficie limpia y suave. Limpie con paño de hilván.

(Continúa)

7 **Tinture.** Aplique tintura con un trapo; refriegue la tintura en la madera hasta obtener una apariencia lisa y uniforme. Deje que se seque. Vuelva a aplicar más si desea un tono oscuro. Deje secar la tintura toda la noche. Aplique aceite de tung o barniz como se indica más adelante.

8 **Pinte.** Aplique un imprimante de madera en la dirección de la fibra de la madera. Aplique pintura en la misma dirección; pase suavemente la brocha y deje secar toda la noche. Lije suavemente la madera utilizando lija de grano fino. Limpie con paño de hilván. Aplique una segunda capa. Si lo desea, aplique barniz, como se indica más adelante.

REMODELADO DE MUEBLES CON REMODELADOR

1 Vierta una pequeña cantidad de remodelador en un recipiente. Desprenda un tercio de esponja de viruta # 0000; humedézcala en el remodelador y exprima el exceso. Refriegue con la esponja suavemente con un movimiento circular sobre un área reducida; el acabado viejo se disolverá y se acumulará en la esponja.

2 Enjuague la viruta y continúe removiendo el acabado. Una vez que quede limpia el área, inicie en otra área hasta que toda la pieza quede lista. Vuelva a llenar la vasija con remodelador y reemplace la esponja según se requiera.

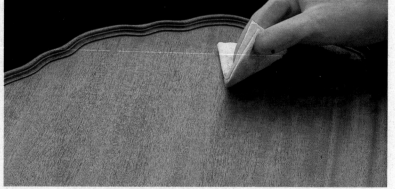

3 Remueva las marcas de recubrimiento y acabado que quede, con remodelador limpio y esponja de viruta.

4 Repita el paso 3 hasta que no queden áreas lustrosas y el acabado tenga una apariencia uniforme. Limpie la superficie con toalla de papel para absorber cualquier residuo, en la aplicación final. Si desea, aplique tintura con un trapo; deje secar durante la noche. Aplique aceite de tung o barniz, como se indica más adelante.

APLICACION DE ACEITE DE TUNG

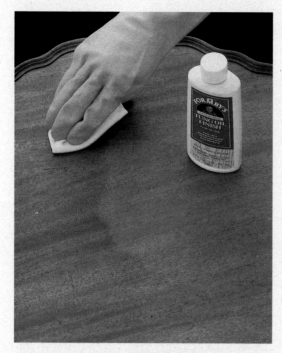

2 Pula suavemente en la dirección de la fibra de la madera con viruta # 0000; limpie con un paño de hilván. Aplique una segunda capa de aceite de tung. Para obtener mayor brillo, aplique capas adicionales, lijando suavemente entre capa y capa.

1 Aplique el aceite de tung al trapo; refriegue la madera con el trapo para aplicar una capa delgada de aceite, en un área pequeña. Deje secar por 24 horas.

3 Pula suavemente las superficies con viruta de acero # 0000 luego de que la capa final esté seca.

APLICACION DEL BARNIZ

1 Limpie la superficie pintada o tinturada con un paño de hilván. Pase la brocha para fijar una capa uniforme de sellador de lijada; deje secar. Lije suavemente con papel de lija de grano fino.

2 Vierta una pequeña cantidad de barniz en un recipiente. Con aplicador de esponja y trabajando en una sola dirección, aplique el barniz en la dirección de la fibra de la madera. Deje secar.

3 Lije suavemente en dirección de la fibra de la madera con papel de lija de grano fino; limpie con un paño. Aplique una segunda mano de barniz; deje secar. Si lo prefiere, lije suavemente y aplique una tercera capa.

SILLONES TAPIZADOS

Las sillas auxiliares pequeñas proporcionan un cómodo asiento extra cuando se está agasajando invitados. Ya sea que se trate de una silla comprada en una venta de reliquias de familia o una pieza de la buhardilla, podrá ser restaurada en un estado de casi-nueva con la remodelación de la madera (pág. 36) y reemplazándole la tapicería.

Las sillas con asientos encajonados y espaldares insertados, con frecuencia armados con madera decorativa expuesta, podrán ser tapizados utilizando las técnicas básicas de las págs. 44 a 49. No obstante que los métodos pueden variar en cierto grado con el estilo de la silla, dichos métodos se utilizan para la mayoría de construcciones de sillas. Una silla que posea originalmente un estilo de asiento pullover o el cojín con encajonado suelto puede tapizarse con un asiento encajonado.

Para un espaldar insertado, el paño se engrapa en el sitio adecuado sobre la hoja de algodón o guata de tapizado. Para ocultar las grapas y los bordes inacabados del paño, se pega en el lugar un adorno decorativo como un doble ribete (pág. 49) o galones ya elaborados.

El asiento encajonado de la silla se tapiza con la parte superior de éste y una faja o tira de encajonar se inserta en ribete simple en la costura superior. El borde inferior del paño se puede tirar hacia el fondo del marco del asiento, tal como se ilustra en la foto. O se puede exhibir un marco decorativo (pág. anterior). El borde inferior se mete entre los lados del marco y se cubre con una hilera de doble ribete o adorno de galones.

Arranque el paño viejo de la silla y quite las grapas o tachuelas con un destornillador y alicates de punta aguda y remodele la madera, si es necesario, antes de proceder a tapizar.

Antes de tapizar el asiento asegure las correas, las cinchas de tejido, la arpillera y la espuma al asiento del marco o estructura de la silla tal como para el puf que aparece en la pág. 51. Utilice 3 ó 4 correas de tejido en cada dirección, el número suficiente para que encajen sin superponerse entre sí pero distanciadas no más de 2,5 cm (1"). En la construcción se aplican correas al respaldo de la silla, siguiendo las mismas pautas con respecto al espaciamiento.

La silla auxiliar (arriba) se tapizó con asiento encajonado cubriéndola debajo del marco. El espaldar insertado va adornado con doble ribete.

La silla auxiliar (pág. anterior) tiene un marco decorativo alrededor del espaldar y el borde inferior del asiento encajonado. Un doble ribete adorna el asiento, el espaldar y los brazos.

MATERIALES

- Paño de decoración; 1,85 m (2 yd) es suficiente para la mayoría de sillones

- Cuerda de 3,8 mm (5/32") de diámetro, de un solo ribete y opcional, de doble ribete

- Si lo desea, adorno de trenza

- 1,85 m (2 yd) de poliéster o de algodón en hoja para tapizado de 68,5 cm (27") de ancho

- Correas o cinchas de tejido para tapizado en yute de 10 cm (4") de ancho

- Arpillera, para reforzar el asiento y el espaldar

- 0,95 m (1 yd) de cambray o muselina, para la cubierta contra el polvo del fondo de la silla

- Espuma de poliuretano de 7,5 ó 10 cm (3" ó 4") de espesor, dependiendo del estilo de la silla; adhesivo para espuma

- Pistola de pegante y palillos para pegar o pegante blanco

- Engrapadora para trabajo pesado (se recomienda una eléctrica); grapas de 1 ó 1,3 cm (3/8" ó 1/2")

PARA EL ASIENTO DE LA SILLA

Corte las correas de tejido 10 cm (4") más largas que el marco del asiento; corte un pedazo de arpillera de 7,5 cm (3") más grande que el marco del asiento. Corte el cambray o la muselina de 5 cm (2") más grande que la base de la silla. Corte el paño y la espuma para la cubierta tal como se indica en el paso 2, en la preparación del asiento encajonado.

Corte la longitud de la tira de encajonado igual al perímetro del marco del asiento más 5 cm (2") de solapa; si es necesario hacerle una costura a las correas del tejido, agregue una longitud extra para los márgenes de costura. Para una silla con un marco de asiento decorativo, corte la anchura de la tira o correa para encajonarlo igual a la profundidad de la espuma más la distancia desde la parte superior del marco a la madera decorativa más 3,8 cm (1 1/2"). Para una silla sin marco decorativo, corte la anchura de la correa de encajonado igual a la profundidad de la espuma más la profundidad del marco más 3,8 cm (1 1/2"); la correa de encajonado se envuelve alrededor del fondo o base del marco del asiento.

Para el ribeteado de la costura de encajonado corte las tiras al sesgo de 3,8 cm (1 1/2") de ancho; la longitud combinada de las tiras será igual al perímetro del marco del asiento más 5 cm (2") de solapa más la porción extra para los márgenes de costura. Para una silla con marco de asiento decorativo, corte al sesgo el paño en tiras de 7,5 cm (3") de ancho, si se va a utilizar el doble ribeteado para el adorno alrededor del marco del asiento.

PARA EL ESPALDAR DE LA SILLA

Corte las correas de tejido 10 cm (4") más largas que el marco; corte un rectángulo de arpillera 12,5 cm (5") más larga que la abertura del marco. Corte dos rectángulos de paño 12,5 cm (5") más grandes que la abertura del marco; todos estos se usarán para las piezas exterior e interior del espaldar. Corte dos o tres capas de guata del mismo tamaño de la abertura. Si va a aplicar doble ribeteado, corte en sesgo tiras de paño de 7,5 cm (3") de ancho.

PARA LOS BRAZOS DE LA SILLA

Corte un rectángulo de paño 10 cm (4") más grande que el área que se va acojinar en el brazo. Corte algodón en hoja del tamaño del área para acojinar. Si se va a usar el doble ribete, corte al sesgo tiras de paño de 7,5 cm (3") de ancho.

PREPARACION DE LA SILLA Y COSTURA DEL ASIENTO ENCAJONADO

1 Elabore un patrón de muselina colocándola en el marco y asegurada con clavos. Marque la muselina en los bordes del marco; trace una línea alrededor de los brazos. Para los brazos que se inclinan hacia abajo o arriba, trace una línea a 1,3 cm (1/2") de la línea original para que la espuma encaje alrededor del brazo.

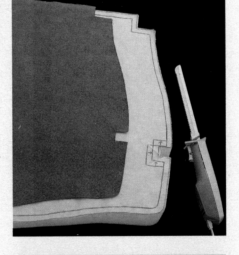

2 Quite la muselina; agregue 1,3 cm (1/2") de margen de costura en todos los lados. Corte el paño para la cubierta del asiento, siguiendo el patrón. Corte la espuma del mismo tamaño para obtener un ajuste firme y tensionado. Aplique correas de tejido al marco del asiento como se indica en los pasos 7 a 9 de las págs. 52 y 53; aplique la arpillera y la espuma tal como se indicó en el paso 1 de la pág. 53.

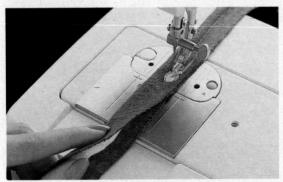

3 Haga un ribete sencillo centrando el cordón sobre el revés de la tira de paño. Doble la tira por encima del cordón, con los bordes bastos alineados. Utilizando el pisacosturas de cremallera, cosa a máquina muy cerca del cordón.

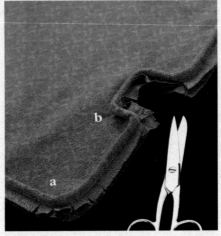

4 Haga el ribete al lado derecho de la cubierta del asiento, emparejando los bordes bastos. Empezando a 5 cm (2") del extremo del ribete, cosa sobre la costura previa. Termine de coser 2,5 cm (1") antes de las esquinas, corte los márgenes de costura del ribete a intervalos de 1,3 cm (1") en la esquina redondeada (a) o corte con tijera en la esquina rectangular (b).

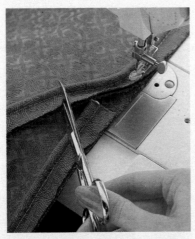

5 Termine de coser 5 cm (2") desde el punto en que los extremos del encordado se encuentran. Dejando la aguja en el paño, recorte un extremo del ribete para que cubra al otro en 2,5 cm (1").

6 Quite 2,5 cm (1") de la costura de los extremos del ribeteado. Corte los extremos de la cuerda para que empalmen con precisión. Doble hacia abajo 1,3 cm (1/2") del paño que se sobrepone; pliegue el otro extremo. Termine de coser.

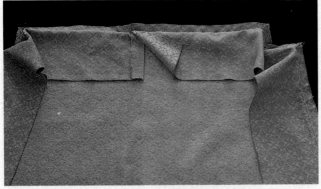

7 Doble hacia atrás 2,5 cm (1") en el extremo de la tira del encajonado; coloque la tira en la cubierta del asiento, los derechos uno contra el otro, con el doblez en el centro del revés. Cosa, apiñando el encordado, corte las esquinas como en el paso 4. En el extremo de la costura superponga los extremos de la tira de encajonado.

8 Cubra por encima y los lados de la espuma con algodón en hoja (guata) de tapicería, cortando la hoja de algodón alrededor de los montantes de los brazos; recorte los excesos de algodón en las esquinas. Para una silla de marco de asiento decorativo, corte la hoja de algodón por encima de la madera decorativa.

TAPIZADO DE UNA SILLA CON MONTANTES LATERALES

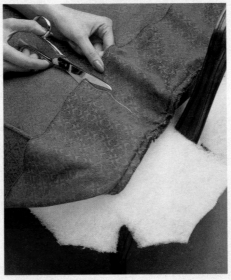

1 **Silla con marco decorativo.** Coloque la cubierta del asiento sobre el algodón; embaste con grapas la tira de encajonado al marco por el frente, justo por encima de la madera decorativa. Repita en el centro de la parte posterior.

2 Alise la cubierta del asiento de lado a lado; repliegue la tira de encajonado en el montante del brazo. Trace con tiza una línea desde el borde inacabado de la tira de encajonado hasta 5 cm (2") del centro del montante del brazo; corte en la línea demarcada.

3 Tire el paño hacia abajo alrededor del montante del brazo. Prolongue el corte o haga un corte en V, si es necesario, para obtener un entalle sin arrugas. Repita el mismo procedimiento para el montante del otro brazo.

(Continúa)

4 Quite las grapas en el respaldo del marco del asiento. En el ángulo o esquina posterior, repliegue la tira de encajonado, tal como se indica para la silla de montantes frontales de los brazos, paso 1 de la sección siguiente. Trace una línea desde el borde inacabado hasta 2,5 cm (1") del centro del montante posterior; corte en la línea demarcada. Repita en el otro montante posterior. Tense hacia abajo la tira de encajonado y hacia el lado del marco del asiento.

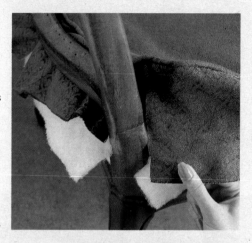

5 Doble por debajo del paño en el costado de la silla, con el doblez a lo largo del montante posterior, engrape la tira de encajonado al marco del asiento en el sitio del doblez.

6 Repita el paso 5 para el costado opuesto de la silla. Al respaldo de la silla, engrape la tira de encajonado al marco del asiento, partiendo del centro hacia los lados. En los montantes posteriores, doble por debajo y engrape el paño tal como en el paso 5.

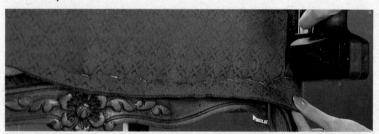

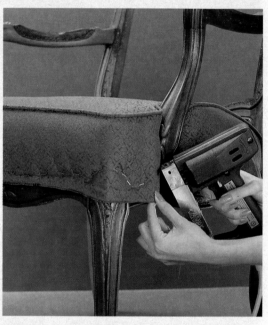

7 Tire el paño hacia el frente de la silla para dejarlo tirante; engrape la tira de encajonado al frente del marco, partiendo del centro hacia los costados de la silla.

8 Doble el paño a lo largo del montante del brazo tal como en el paso 5; engrape la tira de encajonado en el frente del montante del brazo para unirla con el marco.

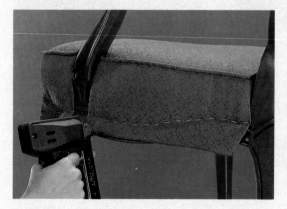

9 Doble el paño en el costado de la silla a lo largo del respaldo del brazo; engrape la tira de encajonado con el costado del marco. Repita para el opuesto de la silla.

10 Corte el exceso de paño en todos los lados de la silla, justo por encima de la madera decorativa. Pegue el doble ribete o la trencilla por encima de la madera decorativa, usando pistola de pegante o pegante de artes manuales, verificando que los bordes bastos y las grapas hayan quedado cubiertos. Empalme los bordes bastos del doble ribete o quite el cordón en los extremos y dóblelo por debajo de los bordes. Para la trencilla, doble bajo los bordes.

1 **Silla sin marco decorativo.** Siga los pasos 1 a 7 de las págs. 45 y 46, exceptuando que en este caso debe ajustar hacia abajo el borde inferior de la tira del encajonado para dejarla bajo el marco y colocar grapas para fijarla al fondo o base del marco. Corte la tela en la pata delantera, desde el borde inferior hasta el punto en donde se unen la pata y la base del marco; termine de engrapar la tira de encajonado sobre el frente del marco de la silla hasta la pata.

2 Corte la tela en el costado de la silla, desde el borde inferior hasta el punto en el que se unen la pata y la base o fondo del marco. Corte, en la esquina, el exceso de tela y deje 2 cm (3/4") para un doblez. Haga un doblez hacia abajo en la pata frontal. Complete el asiento encajonado tal como se describe en los pasos 8 y 9, engrapando el borde inferior a la base del marco. Aplique la muselina tal como se indica en el paso 11.

11 Doble hacia abajo los bordes de la muselina; engrápela al fondo de la silla a intervalos de 2,5 cm (1").

TAPIZADO DE UNA SILLA CON BRAZOS FRONTALES

1 **Silla con marco decorativo.** Siga el paso 1 de la pág. 45. Alise la parte superior del forro del asiento de lado a lado; alinee las costuras de unión alrededor de los maderos de los brazos. Doble hacia atrás la tira de encajonado en forma diagonal en el madero del brazo. Trace una línea con tiza desde el borde sin acabado hasta 5 cm (2") del centro del madero del brazo; corte sobre la marcación.

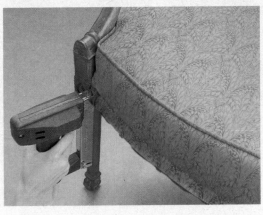

2 Tire la tela o paño hacia abajo alrededor del madero del brazo. Repita para el brazo opuesto. Siga los pasos 4 a 7, que aparecen en la pág. anterior. Termine la silla tal como se describió en los pasos 9 a 11 de la pág. anterior.

Silla sin marco decorativo. Siga los pasos 1 y 2 (izq.), a excepción de que en este caso debe ajustar del borde inferior de la tira de encajonado alrededor de la base del marco de la silla y engraparla a la base del marco.

TAPIZADO DEL ESPALDAR DE LA SILLA

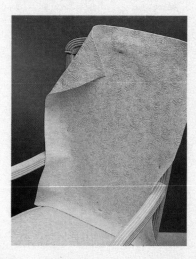

1 **Surco de embaste de la cara interna del espaldar.** Coloque un rectángulo de paño para la cara posterior del espaldar, con el derecho hacia el respaldo de la silla, embastando con grapas en el centro de la parte posterior del surco o carril de embaste en el lado interno del marco, a 6 mm (1/4") de la moldura del surco. Repita en el centro de la parte inferior y el centro de cada lado.

2 Engrape el paño desde el centro de la parte inferior hasta el comienzo de la curva de las esquinas redondeadas. Engrape el paño en la parte superior, dejando tirante; repita lo anterior en cada lado. Engrape el paño en las esquinas. Corte el exceso de paño cerca de las grapas. Coloque una capa de algodón sobre el paño.

3 Aplique las correas de tejido tal como se indicó en las págs. 52 y 53 pasos 7 a 9, engrapando en el surco de embaste. Las correas de tejido en yute no necesitan ser dobladas. Engrape la arpillera sobre el tejido; corte el exceso.

4 Coloque dos capas de algodón sobre la arpillera. Coloque un rectángulo de paño para el lado interno del espaldar, con el derecho sobre el algodón; engrape. Recorte el exceso de paño y aplique doble ribeteado o trencilla tal como se indica en la pág. 46 paso 10; empalme los extremos del doble ribete o doble por debajo de los extremos de la trencilla.

Surcos de embaste en los lados interno y externo del espaldar. Siga los pasos 3 y 4 anteriores. Coloque, desde el espaldar de la silla, un rectángulo de paño por el lado posterior del espaldar, con el derecho hacia afuera, engrapando en el surco de embaste sobre el lado externo del espaldar del marco. Corte el exceso de paño y aplique doble ribete o trencilla tal como se indicó en la pág. 46, paso 10.

TAPIZADO DE LOS BRAZOS DE LA SILLA

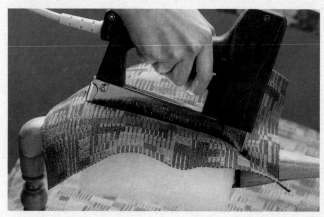
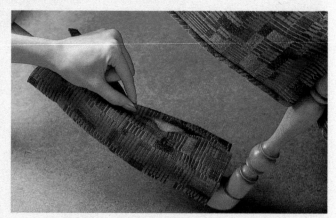

1 **Envoltura del acolchado del brazo.** Coloque 2 a 3 capas de algodón encima del brazo. Coloque el derecho del paño hacia afuera sobre el algodón; engrape la parte posterior del brazo.

2 Tense el paño hacia el frente del brazo, engrape. Tire del paño alrededor del brazo; engrape por debajo. En el lado opuesto, tire del paño alrededor del brazo y dóblelo bajo el borde; engrape.

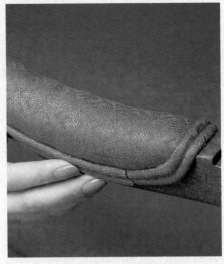

Acolchado oval para el brazo. Coloque dos o tres capas de algodón de hoja encima del brazo. Coloque el derecho del paño hacia arriba sobre el algodón. Sujete el paño como se hizo para el espaldar de la silla, pasos 1 y 2. Corte el exceso de paño y aplique doble ribete o trencilla como se indicó en la pág. 46 paso 10; empalme los extremos del doble ribete o doble por debajo de los extremos de la trencilla.

3 Termine de engrapar a lo largo del frente y respaldo del brazo. Corte el exceso de paño. Pegue el doble ribete o la trencilla tal como se indicó en la pág. 46, paso 10.

HECHURA DEL DOBLE RIBETE

1 Coloque un cordón de 3,8 mm (5/32") en el revés de una tira de paño de 7,5 cm (3"). Doble el paño sobre el cordón, con un margen de costura de 1,3 cm (1/2") a lo largo. Cosa junto a la cuerda, utilizando pisacosturas de cremallera.

2 Coloque una segunda cuerda cerca del primer ribete. Envuelva el paño alrededor de la segunda cuerda.

3 Cosa entre las dos cuerdas sobre la línea de costura previa. Utilice pisacosturas de uso general, desplazándose por encima del ribete.

4 Corte el exceso de paño próximo a la costura; el borde basto queda al respaldo de acabado del doble ribete.

PUFS
TAPIZADOS

Los pufs proporcionan lugar de asiento extra y pueden servir como detalles decorativos. El puf de paño es fácil de elaborar y viene bien con cualquier estilo de decoración. El puf acabado mide cerca de 48,5 cm (19") de altura con un asiento de 46 cm (18") cuadrados.

El marco está construido de madera terciada (triplex) de 2 cm (3/4") y cuenta con un tejido de correas de tapizado que se extiende por encima del marco de la estructura. Es posible construir un puf a partir de media lámina de madera terciada, o dos de una lámina completa. Utilice madera terciada tipo AC o BB a fin de garantizar la solidez necesaria.

Para cortar piezas con exactitud, se deben cortar con una sierra circular con las dimensiones previstas en las instrucciones de corte. Si no puede contar con una sierra circular, las pueden cortar en un taller de carpintería, según sus especificaciones.

Para recubrir el puf se aplican métodos sencillos de tapicería.

Una vez que el marco se ha acolchado con espuma de poliuretano y algodón, se cubre todo el puf con dos piezas de paño.

Se recomiendan paños texturizados que posean un grado de flexibilidad o que cedan algo a fin de obtener los mejores resultados ya que es más sencillo trabajar con ellos. Evite usar paños de tejido brillante o muy apretado como el calicó o paños que requieran una armonización precisa, como los escoceses, de telas a rayas y los estampados grandes.

MATERIALES

PARA EL MARCO

- Madera terciada de 2 cm (3/4") del tipo AC o BB
- Tornillo para muro, de 3,2 cm (#8 x 1 1/4") y de 4 cm (# 8 x 1 5/8") de roscado grueso
- Pegante para madera
- Correas de tejido para tapizado de 3,2 m (3 1/2 yd)
- Sierra de vaivén; sierra circular
- Taladro, broca de 2,38 cm (3/32")
- Destornillados, alicates
- Engrapadora para trabajo pesado (se recomienda una eléctrica) y grapas de 1,3 cm (1/2")

PARA EL TAPIZADO

- 1,6 m (1 3/4 yd) de paño decorativo
- Algodón de poliéster de 152,5 cm (60") y 68,5 cm (27") de ancho
- Arpillera de 0,6 m (5/8 yd)
- 46 cm (18") cuadrados de espuma de poliuretano, de 5 cm (2") de espesor, adhesivo para espuma
- Tiras de cartón
- Hilo de nylon para tapicería para coser a mano, aguja curva de 10 cm (4")
- Cuatro tapas deslizadores de nylon de 2 cm (3/4")

INSTRUCCIONES PARA EL CORTE

PARA EL MARCO

Corte de la madera terciada dos piezas de 39,3 x 43 cm (15 1/2" x 17"): serán los lados del marco del puf. Corte cuatro cuadros de 39,3 cm (15 1/2") tal como se indica en los pasos 1 a 3 en la sección de la construcción de un marco de puf, se cortarán estas piezas en forma de U, utilizando una sierra y se atornillarán juntas en pares para formar el frente y el respaldo del marco. Corte dos piezas de 5 x 43 cm: serán las resbaladeras de la base del marco. Corte seis tiras de correas de tejido para tapizado de 48,5 cm (19").

PARA EL TAPIZADO

Corte un cuadro de arpillera de 51 cm (20") para utilizarlo por encima del puf e irá sobre el tejido de las correas. Corte un rectángulo de paño decorativo para el exterior del puf de 81,5 x 160 cm (32" x 63"); marque el centro de cada lado haciendo una muesca en los bordes. Corte el resto del paño para el interior del puf, de 51 x 120 cm (20" x 17"); haga una muesca en el centro de uno de los lados más largos.

CONSTRUCCION DE UN MARCO PARA PUF

1 Marque una línea a 5 cm (2") del borde superior de 39,3 cm (15 1/2") del cuadrado de triplex; marque una línea de 3,2 cm (1 1/4") de cada lado adyacente. Marque esquinas redondeadas en donde se intersectan las líneas, tal como se ilustra aquí.

2 Corte cada cuadro de triplex (o madera terciada) sobre las líneas demarcadas, con una sierra. Apile dos piezas; haga un agujero en una esquina, de aproximadamente 3,2 cm (1 1/4") de profundidad, utilizando una broca de 2,38 cm (3/32"). Inserte parcialmente un tornillo de muro de 3,2 cm (1 1/4") para mantener las esquinas niveladas (ver flecha). Haga un orificio en la otra esquina diagonal.

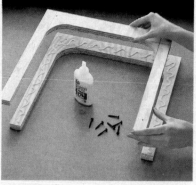

3 Retire el tornillo; pegue las piezas con pegante para madera. Inserte los tornillos en las esquinas. Inserte tornillos adicionales en el centro y esquinas de cada lado. Junte firmemente las dos piezas restantes en forma de U. Las piezas pegadas serán el frente y el respaldo del marco.

4 Voltee al revés la pieza del frente. Coloque una pieza lateral sobre el lado de una pieza frontal. Haga orificios para tornillos de aproximadamente 4 cm (1 5/8") de profundidad, escalonando los orificios para que los tornillos queden ubicados en ambas capas de madera del frente y no se intersecten con los tornillos previamente insertados. Afirme la unión con pegante para madera, inserte tornillos de 4 cm (1 5/8").

5 Repita el paso 4 para unir la pieza posterior. Una la otra pieza lateral de la misma forma.

6 Coloque la resbaladera en la base del marco, con los bordes parejos; haga orificios para tornillos de aproximadamente 4 cm (1 5/8") de profundidad para que los tornillos no intersecten los previamente insertados. Asegure la unión con pegante para madera; inserte los tornillos de 4 cm (1 5/8"). Repita el mismo procedimiento para la otra resbaladera.

7 Asegure una correa de tejido al borde superior del marco, centrada en un lado, doble hacia arriba 1,3 cm (1/2") en el extremo de la correa, engrape las dos capas con cinco grapas. En el lado opuesto del marco engrape la correa al marco en una sola capa, tirando firmemente de la correa con pinzas.

8 Doble hacia arriba el extremo de la correa de tejido; engrape nuevamente a través de las dos capas. Corte el extremo de la correa en 1,3 cm (1/2").

9 Repita para dos correas más, espaciándolas uniformemente a cada lado de la correa que la cruza por el centro. Asegure tres correas de tejido al marco en la dirección opuesta, tejiéndolas por encima y por debajo de las correas anteriores. Engrape todas las correas tal como se indicó en los pasos 7 y 8, tensándolas firmemente con pinzas.

TAPIZADO DE UN PUF

1 Doble por debajo de los bordes de la pieza de arpillera; engrápela al marco, sobre el tejido de correas, a intervalos de 3,8 cm (1 1/2"), dejando tirante la arpillera. Aplique adhesivo en aerosol a un lado de la espuma y a la arpillera; adhiera espuma a la arpillera.

2 Marque el centro de los surcos superiores (**a**). Marque el centro de cada lado en la base del marco (**b**).

3 Coloque el algodón para tapizar sobre una mesa, con el marco volteado al revés encima de él. Envuelva el algodón alrededor de la parte superior y lados del marco; extendiendo ligeramente el algodón, engrápelo al centro de cada lado, cerca de la base del marco.

4 Envuelva el algodón sobre el surco superior del frente del marco; aplique grapas al centro cerca al fondo del surco. Repita, envolviendo el algodón sobre el surco superior en el respaldo del marco, extendiéndolo.

5 Aplique grapas a los lados en la base, separados 3,8 cm (1 1/2") dejando el algodón tirante. Corte el algodón sobrante en la base del marco; el algodón no debe quedar envuelto en el borde inferior del marco.

6 Voltee el marco para que el frente quede para arriba. Extendiendo el algodón ligeramente sobre el frente, aplique grapas con separación de 3,8 cm (1 1/2"), sobre el surco superior y los lados del borde frontal en forma de U. Elimine en las esquinas el exceso de algodón y engrape en un lugar adecuado.

(Continúa)

7 Repita el paso 6 (pág. 53) con el respaldo del marco vuelto hacia arriba. Coloque el paño para el exterior del puf sobre una mesa, con el puf al revés. Embaste con grapas el centro del paño en un lado a la base del surco frontal en la demarcación del centro. Deje tenso el paño y engrape el lado opuesto del paño al punto de marcación en el surco posterior.

8 Extienda el paño alrededor del marco hasta un lado de la base; embaste con grapas al fondo de la resbaladera, emparejando los centros. Tense el paño hasta el otro lado; embaste con grapas a la base de la otra resbaladera.

9 Quite la grapa de la base de una resbaladera y tense más el paño. Aplique grapas separadas de 3,8 cm (1 1/2") en la base de la resbaladera, haciéndolo desde el centro hasta 5 cm (2") por dentro de los extremos.

10 Repita el paso 9 para el lado opuesto del puf. Retire la grapa del surco frontal del puf. Tensando firmemente el paño, aplique grapas con separación de 3,8 cm (1 1/2") desde el centro hasta 2,5 cm (1") dentro del comienzo de las esquinas curvas.

11 Tense el paño en una esquina frontal curva, 2,5 cm (1") más allá de la curva del marco; engrape. Aplique grapas con separación de 3,8 cm (1 1/2") hasta 5 cm (2") adentrados en la base del puf. Repita para el lado opuesto del frente y para los lados del respaldo.

12 Haga tres pliegues en el lugar de cada esquina curva; engrape en el borde inferior del surco. Los tres pliegues deben quedar bien ajustados dentro del área curva. Corte el exceso de paño a 1,3 cm (1/2") de las grapas.

13 Doble el paño alrededor de la esquina frontal sobre una resbaladera; coloque grapas adecuadamente y corte el exceso de paño. Repita para la esquina posterior. Luego, doble las esquinas frontal y posterior sobre la otra resbaladera.

14 Engrape el borde del paño destinado al interior del puf a la base del surco frontal, con el derecho del paño hacia abajo y los centros emparejados; trabaje desde el centro del surco superior hacia el fondo de los lados.

15 Coloque tiras de cartón sobre el paño, con el borde del cartón justo por dentro del borde exterior del marco, aplique grapas separadas 3,8 cm (1 1/2").

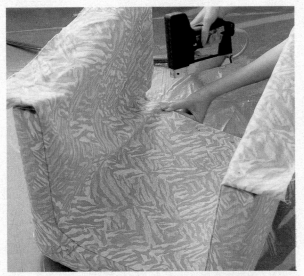

16 Deje el derecho del paño hacia arriba en el interior del marco. Tense firmemente el paño hacia el surco posterior; embaste con grapas para unirlo a la base del surco posterior, a la altura del centro, doblando el borde hacia abajo. Embaste con grapas separadas 10 cm (4") a lo largo de la base del surco superior y de los lados del borde posterior en forma de U.

17 Embaste con grapas dentro de la base de cada resbaladera en el centro y los extremos, sin dejar pliegues en el paño.

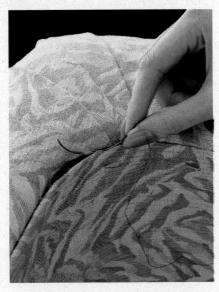

18 Corte el exceso de paño en la base de cada resbaladera; doble por debajo del borde y engrape adecuadamente.

19 Haga puntada invisible a lo largo del borde doblado al respaldo del marco, utilizando aguja curva. Quite las grapas.

20 Coloque las tapas deslizadoras en la base de las resbaladeras, a 5 cm (2") de cada extremo.

ESTILOS DE MARCOS PARA MESAS

Para crear una mesa versátil y fácil de construir, diseñe una mesa estilo marco. Como superficie de la mesa, se enmarca una base de triplex con listones de madera para formar una borde elevado. La mesa enmarcada puede utilizarse como un área de exhibición para detalles memorables cubiertos con vidrio. O se le puede colocar azulejos sobre el triplex, con la superficie de los mismos a nivel del borde enmarcado.

Las patas de la mesa se cortan de madera corriente 3 x 3. La gran parte de depósitos de materiales de construcción o almacenes para arreglos de casas cuentan con una selección adecuada de maderas duras, clasificadas según la pintura, para el marco y las patas. Si quiere acceder a una selección con muchas alternativas, incluyendo maderas duras apropiadas para el tinturado, adquiera la madera aserrada en una maderería o en un almacén de artículos de carpintería.

Si se trata de una mesa para detalles memorables, defina el tamaño deseado y la profundidad del área de exhibición; la profundidad puede llegar hasta 6,5 cm (2 1/2"). Corte las patas en la altura de acabado que se desee, menos la profundidad de área de exhibición, menos los 2 cm (3/4") de grosor del triplex. Por ejemplo: Para una altura de una mesa de 51 cm (20") con un área de exhibición de 5 cm (2") de profundidad, corte las patas de 43,7 cm (17 1/4").

Determine, además, la dimensión de la base de triplex; esta será la medida del área de exhibición. Se puede cubrir la base de triplex con papel tapiz o con cabritilla sintética. Si se utiliza esta última, fíjela sobre una lámina de cartón de ilustración grueso, de 3 mm (1/8") de grosor y luego asegúrela al triplex.

Si es una mesa con azulejos, el área de exhibición debe ser igual al grosor del azulejo. Diseñe el arreglo de los azulejos, dejando un espacio entre cada azulejo de aproximadamente 3 a 6 mm (1/8" a 1/4") ; ésta será la dimensión de la base del triplex. Corte las patas de la mesa tal como se indicó para la mesa de detalles.

MATERIALES

PARA LOS DOS ESTILOS DE MESA

- Madera aserrada de 3 x 3, de la dureza deseada y la longitud suficiente para cortar las cuatro patas
- Madera aserrada de 2 x 9 cm (3/4" a 3 1/2") de la clase de madera dura preferida y en la longitud para cortar el marco en inglete
- Madera terciada (triplex) para la superficie de la mesa; para la mesa de detalles utilice triplex acabado o para la embaldosinada, el tipo de exteriores
- Pintura o tintura para madera y masilla para emparejar la tintura; aceite de tung o barniz, opcional
- Pegante de madera; 6 clavos, punzón, taladro, broca de 2,38 mm (3/32"); tornillo para muro de 6,5 cm (2 1/2"); caja de ingletes de sierra

PARA LA MESA DE DETALLES

- Para el fondo de papel: papel tapiz, imprimante, tapaporos
- Para el fondo en cabritilla: cabritilla sintética, cartón de ilustración de 3 mm (1/8") de grosor, cuchillo corriente, regla, adhesivo de aerosol, cinta de doble adhesión para alfombra
- Cinta autoadhesiva de gancho y presilla, opcional
- Vidrio en plancha de 1 cm (3/8") con borde biselado o borde pulido de fábrica, el tamaño del vidrio es igual a la dimensión del marco acabado menos 6 mm (1/4")

PARA LA MESA CON AZULEJOS

- Azulejos de cerámica. Adhesivo para cerámica o adhesivo común multipropósito
- Si es necesario, separadores de baldosas
- Lechada para baldosas, sellador de lechada, opcional

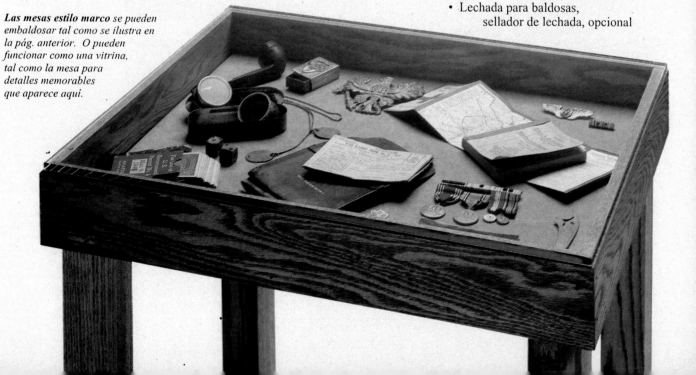

Las mesas estilo marco se pueden embaldosar tal como se ilustra en la pág. anterior. O pueden funcionar como una vitrina, tal como la mesa para detalles memorables que aparece aquí.

MESA PARA DETALLES

1 Corte en triplex del tamaño de acabado deseado para el área de exhibición. En caso de que se vaya a tapizar con papel la mesa, aplique un imprimante a la superficie de la tabla. Corte las piezas del marco con esquinas en inglete para que el marco encaje con el triplex; la medida anterior será igual a la longitud al borde del triplex.

2 Pegue las piezas del marco a los lados del triplex, con el marco levantado a la altura deseada por encima de la superficie del triplex; dicha altura será la profundidad del área de exhibición. Fije el marco al triplex con clavos colocados en las esquinas y a intervalos de 20,5 cm (8"). Avellane los clavos utilizando un punzón.

3 Corte la madera 3 x 3 para las cuatro patas en la altura deseada: llene los orificios de los clavos con masilla para emparejar la tintura. Aplique aceite de tung o barniz, según lo prefiera (pág. 41).

4 Marque un cuadrado de 6,5 cm (2 1/2") en cada esquina de la superficie del triplex. Coloque las patas bajo el triplex, sosteniendo cada una contra el marco en la esquina. Perfore, los cuadrados enmarcados, orificios para tornillos, utilizando una broca de 2,38 mm (3/32"). Avellane los tornillos a través del triplex hasta llegar a las patas, tal como se ilustra.

5 **Fondo de papel tapiz.** Aplique tapaporos para madera a los tornillos ahuecados; líjelos para emparejar la superficie. Aplique el papel tapiz utilizando engrudo; corte el papel para que quede ajustado a los bordes del marco.

6 **Fondo de cabritilla.**
Corte cartón de ilustración del tamaño de la base del triplex, utilizando un cuchillo corriente y una regla, hasta que el cartón quede cortado. Corte la cabritilla ligeramente más grande que el cartón; fije el cartón con adhesivo en aerosol. Voltee el cartón y cortando empareje los bordes de la cabritilla y el cartón. Asegure el cartón al triplex utilizando cinta de doble adhesión.

7 Disponga el arreglo de los artículos de exhibición. Si lo prefiere, fíjelos por medio de cinta autoadhesiva de ganchos y presillas. Coloque el vidrio sobre la mesa.

MESA ESTILO MARCO CON AZULEJOS

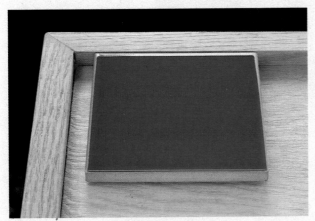

1 Siga los pasos 1 a 4 anteriores; en el paso 1, corte el triplex del tamaño de acabado deseado para el área de baldosas y en el paso 2 coloque el marco con una elevación con respecto al triplex de una medida igual al grosor del azulejo incluyendo el pegante.

2 Deje limpios de polvo los azulejos; enmascare el borde interno del marco, utilizando cinta de enmascarar. Disponga los azulejos según lo desee. Fije cada azulejo aplicando trazos de pegante en S en el revés. Para obtener un espaciado igual, ciertas baldosas requieren espaciadores.

3 Aplique la lechada introduciéndola parejo dentro de los espacios, utilizando el dedo humedecido. Limpie el exceso de lechada con una esponja húmeda. Quite la cinta de enmascarar.

4 Deje que la lechada se seque por una hora, o hasta que se encuentre firme; pula los azulejos con un paño limpio y seco. Deje pasar el período de curado de la lechada según las instrucciones del fabricante. Si lo prefiere, aplique sellador para lechada.

MAS IDEAS PARA MESAS ESTILO MARCO

Arena y conchas marinas se han dispuesto en una pequeña mesa auxiliar.

Un cofre decorativo acomodado en una mesa de roble.

*Un arreglo de **papel maché** (pág. 110) se exhibe sobre un fondo de papel tapiz.*

Un par de mesas con azulejos se han dispuesto de
tal manera que el diseño de los azulejos continúe
de una mesa a otra.

CREATIVAS MESAS EN VIDRIO

Con algo de imaginación y una lámina de vidrio grueso es posible transformar muchos objetos en mesas decorativas. Para las bases de las mesas seleccione objetos estables, a nivel, y de altura deseada. Las mesitas de café generalmente tienen una altura comprendida entre 40 y 46 cm (16" y 18") y las mesas de sofá una altura entre 48 y 53 cm (19" y 21") aproximadamente.

Objetos como baúles de camarote, bancas de pianos antiguos o cofres de manto van bien con los estilos tradicionales. Para un proyecto de decoración campestre o mixto, pruebe con cajas de madera, caballetes de aserrar, bancas, canastas y materas invertidas. Para la decoración contemporánea, utilice detalles como cubos acrílicos y jarrones grandes en porcelana.

Las superficies de mesa de bordes redondeados y pulidos se consiguen en diferentes tamaños en los almacenes minoristas de muebles y accesorios informales. También se puede mandar cortar el vidrio en una marquetería. Para las mesas pequeñas, es suficiente un grosor de 6 mm (1/4"), pero para contar con una resistencia mayor y una apariencia más impactante, utilice vidrio de 1 cm (3/8") o más de grosor. Al escoger las dimensiones del vidrio, es aconsejable que verifique el tamaño utilizando cartón, templando en la base de la mesa para determinar qué tanto queda de saliente.

Debido al peso del vidrio, muy pocas veces es preciso fijarlo permanente a la base de la mesa. Amortigüe el vidrio colocando discos de acrílico, de venta en ferreterías, entre la base y el vidrio. Generalmente, con cuatro discos colocados en las esquinas es suficiente. Si los discos resbalan sobre la superficie de la base y hacen que el vidrio se mueva, asegúrelos a la base con una pequeña cantidad de silicona transparente adhesiva.

Las macetas para planta en cerámica (arriba) se apilan para sostener la mesita rectangular de café. Para una mesa cuadrada y más grande, coloque macetas en las cuatro esquinas.

El cubo acrílico con canicas sirve de base para esta mesa auxiliar. Se ha insertado un cubo más pequeño en posición invertida para disminuir la cantidad de canicas necesarias.

Los largueros en doble T, pintados en aerosol, crean una base para una mesa contemporánea.

MAS IDEAS PARA MESAS EN VIDRIO

Esta maceta decorativa, con clavelitos (gipsófila paniculata), sirve de base para la mesa. La impecable superficie del vidrio realza la textura rústica de la base.

Este portaequipaje plegadizo rematado con vidrio se convierte en una sencilla mesa auxiliar.

La columna griega y la pila de libros equilibran la superficie de vidrio de esta mesita de café.

Un radiador con cubierta de vidrio constituye una forma práctica y atractiva de crear una mesa.

Una banca de concreto proporciona una base sólida para una mesita de café y le confiere un interés arquitectónico.

Arreglos
de paredes
y ventanas

MOLDURAS PARA MARCOS DE PARED

Aumente el interés arquitectónico a una sala instalando una moldura en un marco de tipo cuadro de arte para pared. La moldura se puede utilizar para destacar aspectos particulares de la sala, dividir paredes grandes en secciones menores y darle atractivo a paredes de apariencia simple. Las molduras pueden ser del mismo color que las paredes o de un color contrastante. Se puede identificar ese efecto pintando el área de la pared situada dentro de la moldura para marco de un color diferente o empapelándola.

Las molduras de corona y de surco para silla, disponibles en variedad de estilos, son adecuadas para estos casos. Para determinar el tamaño y la ubicación de los marcos, corte tiras de papel del ancho de la moldura y experimente con los diferentes tamaños de marco, adhiriendo las tiras a la pared. La moldura para marco generalmente reproduce el tamaño de los detalles arquitectónicos de una sala, tales como la anchura de las ventanas o la chimenea.

Instale la moldura con pequeños clavos para acabado cerca a las esquinas exteriores de la moldura y en los puntos de los parales de pared; utilice clavos lo suficientemente grandes como para atravesar la superficie de la pared y los parales. Si los parales de la pared no pueden ubicarse, aplique pequeños puntos de pegante al respaldo de la moldura para evitar que el marco se separe de la pared.

MATERIALES

- Moldura de madera
- Ingletes y sierra, o caja de ingletes eléctrica
- Clavos de acabado; punzón
- Taladro; broca de 1,5 mm (1/16")
- Pegante para madera, si es necesario
- Pintura o tintura para madera y masilla

INSTALACION DE LA MOLDURA PARA MARCO DE PARED

1 Corte tiras de papel del ancho del molde; fíjelas a la pared utilizando cinta. Marque suavemente la colocación para el borde exterior de la moldura superior con un lápiz, cerciorándose de que las marcaciones estén niveladas.

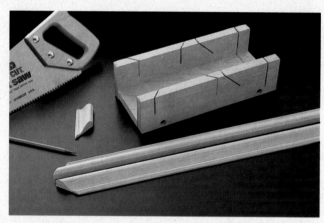

2 Mida y marque la longitud de los listones de moldura superior e inferior; corte las molduras, utilice una caja de ingletes y una sierra para hacer los cortes en ángulo hacia adentro a partir de la marca. Compruebe que las molduras sean de la misma longitud. Repita el mismo procedimiento para cortar los listones laterales.

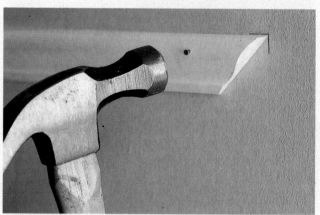

3 Pinte o tinture las molduras. Perfore orificios para clavos con una broca de 1,5 mm (1/16"). Coloque el listón de la moldura superior en la pared, alineándola con las marcaciones; si no es posible clavarla en los parales coloque pegante en el respaldo de la moldura. Clave las molduras a la pared, dejando ligeramente salidos los clavos.

4 Una los listones de moldura para los lados del marco, colocando sólo un clavo en las esquinas superiores. Fije los demás clavos para los lados del marco.

5 Avellane los clavos, utilizando punzón. Retoque los orificios de los clavos y las esquinas en inglete con pintura o rellénelas con masilla para emparejar la tintura.

MAS IDEAS PARA MOLDURAS DE MARCOS DE PARED

El área enmarcada *(izq.)* con papel tapiz divide una pared que sin ese arreglo luciría monótona.

La moldura doble *(siguiente pág.)* se utiliza para destacar adicionalmente los detalles arquitectónicos.

La moldura de contraste *(foto inferior)* llama la atención de manera especial para las obras de arte agrupadas aquí al estilo tradicional.

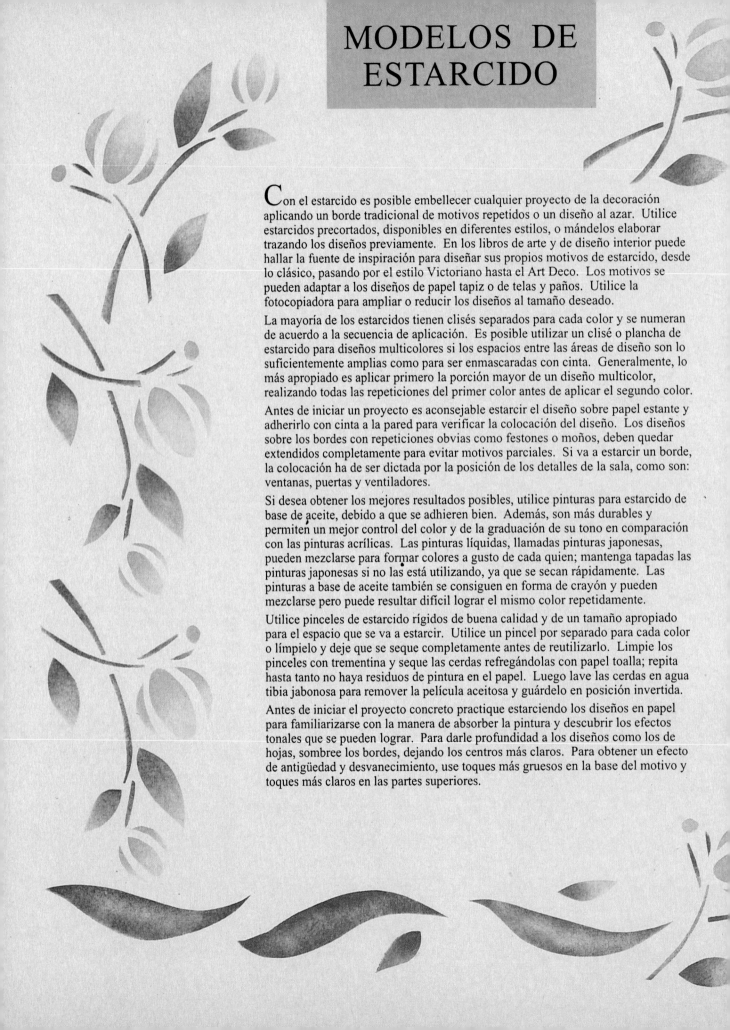

MODELOS DE ESTARCIDO

Con el estarcido es posible embellecer cualquier proyecto de la decoración aplicando un borde tradicional de motivos repetidos o un diseño al azar. Utilice estarcidos precortados, disponibles en diferentes estilos, o mándelos elaborar trazando los diseños previamente. En los libros de arte y de diseño interior puede hallar la fuente de inspiración para diseñar sus propios motivos de estarcido, desde lo clásico, pasando por el estilo Victoriano hasta el Art Deco. Los motivos se pueden adaptar a los diseños de papel tapiz o de telas y paños. Utilice la fotocopiadora para ampliar o reducir los diseños al tamaño deseado.

La mayoría de los estarcidos tienen clisés separados para cada color y se numeran de acuerdo a la secuencia de aplicación. Es posible utilizar un clisé o plancha de estarcido para diseños multicolores si los espacios entre las áreas de diseño son lo suficientemente amplias como para ser enmascaradas con cinta. Generalmente, lo más apropiado es aplicar primero la porción mayor de un diseño multicolor, realizando todas las repeticiones del primer color antes de aplicar el segundo color.

Antes de iniciar un proyecto es aconsejable estarcir el diseño sobre papel estante y adherirlo con cinta a la pared para verificar la colocación del diseño. Los diseños sobre los bordes con repeticiones obvias como festones o moños, deben quedar extendidos completamente para evitar motivos parciales. Si va a estarcir un borde, la colocación ha de ser dictada por la posición de los detalles de la sala, como son: ventanas, puertas y ventiladores.

Si desea obtener los mejores resultados posibles, utilice pinturas para estarcido de base de aceite, debido a que se adhieren bien. Además, son más durables y permiten un mejor control del color y de la graduación de su tono en comparación con las pinturas acrílicas. Las pinturas líquidas, llamadas pinturas japonesas, pueden mezclarse para formar colores a gusto de cada quien; mantenga tapadas las pinturas japonesas si no las está utilizando, ya que se secan rápidamente. Las pinturas a base de aceite también se consiguen en forma de crayón y pueden mezclarse pero puede resultar difícil lograr el mismo color repetidamente.

Utilice pinceles de estarcido rígidos de buena calidad y de un tamaño apropiado para el espacio que se va a estarcir. Utilice un pincel por separado para cada color o límpielo y deje que se seque completamente antes de reutilizarlo. Limpie los pinceles con trementina y seque las cerdas refregándolas con papel toalla; repita hasta tanto no haya residuos de pintura en el papel. Luego lave las cerdas en agua tibia jabonosa para remover la película aceitosa y guárdelo en posición invertida.

Antes de iniciar el proyecto concreto practique estarciendo los diseños en papel para familiarizarse con la manera de absorber la pintura y descubrir los efectos tonales que se pueden lograr. Para darle profundidad a los diseños como los de hojas, sombree los bordes, dejando los centros más claros. Para obtener un efecto de antigüedad y desvanecimiento, use toques más gruesos en la base del motivo y toques más claros en las partes superiores.

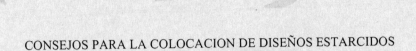

CONSEJOS PARA LA COLOCACION DE DISEÑOS ESTARCIDOS

Marque líneas largas verticales u horizontales de colocación con un marcador de tiza o un lápiz; haga una línea clara en tiza en un color de bajo contraste en el lugar en donde el clisé o plancha de estarcido debe quedar alineado.

Comience el estarcido en la esquina más notoria de la sala y diríjase en ambas direcciones; termine de estarcir en la esquina menos llamativa.

Continúe el estarcido alrededor de la sala doblando la plancha del esténcil por dentro de la esquina y luego siga estarciendo en la pared adyacente.

Termine las repeticiones en las esquinas, siempre que sea posible, ajustando ligeramente el espacio entre repeticiones a medida que se aproxima al rincón; diferencias pequeñas en el espaciado podrán pasar inadvertidas.

Comience en el centro de la pared al estarcir un diseño prominente que no deba ser centrado; ajuste el espacio entre repeticiones cerca a los extremos para que un motivo termine en la esquina.

MATERIALES

ELEMENTOS BASICOS

- Estarcido (esténcil) precortado o elaborado según especificaciones individuales
- Pinturas de estarcido a base de aceite
- Pinceles para estarcido
- Platos plásticos desechables y espátula para las pinturas líquidas
- Cinta de enmascarar o adhesivo de aerosol
- Toallas de papel; trementina

PARA LOS ESTARCIDOS INDIVIDUALES

- Hojas transparentes
- Papel calcante; lápices de color
- Bisturí para moldes de cartón; superficie de corte, como una tablilla o cartón cicatrizante
- Marcador de punta fina y tinta permanente
- Cinta de enmascarar

ESTARCIDO INDIVIDUAL

1 Coloque papel calcante sobre el diseño. Deje un borde de 2,5 a 7,5 cm (1" a 3"). Calque el diseño, simplificando las formas tanto como sea posible; para diseños en los bordes repita el diseño para una longitud de 33 a 46 cm (13" a 18"), verificando que el espacio entre repeticiones sea uniforme.

2 Coloree el diseño calcado como lo prefiera con lápices de color. Marque las líneas de colocación para que el esténcil se coloque correctamente en la pared.

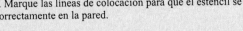

(Continúa)

3 Coloque la hoja transparente sobre el diseño; asegúrela con cinta. Calque las áreas que se van a estarcir en el primer color, utilizando un marcador; transfiera las líneas de colocación.

4 Calque las áreas de diseño para cada color adicional en una hoja transparente aparte. Para ayudar a alinear el diseño, delinee las áreas para los colores anteriores, utilizando líneas punteadas.

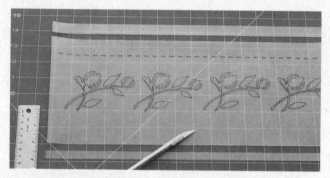

5 Coloque las hojas transparentes una encima de otra y verifique la precisión. Con un bisturí para cartón y una regla, corte los bordes externos de las planchas del esténcil, dejando una margen de 2,5 a 7,5 cm (1" a 3") alrededor del diseño.

6 Recorte las áreas marcadas con un bisturí para moldes de cartón; corte primero los contornos más pequeños y luego los más grandes. Maneje el bisturí en dirección hacia usted; gire la hoja en lugar de girar el bisturí, para cambiar de dirección.

ESTARCIDO CON PINTURAS DE BASE DE ACEITE

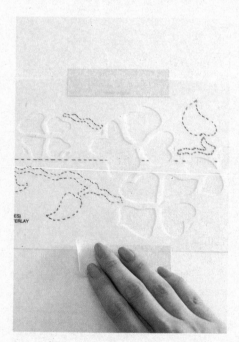

1 Coloque la primera plancha del esténcil; asegure el esténcil con cinta de enmascarar o adhesivo de aerosol.

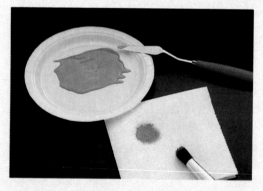

2 Pintura líquida. Coloque 1 a 2 cucharaditas (5 a 10 ml) de pintura para estarcido en un plato plástico. Adelgace la pintura si es necesario, hasta el punto en que la pintura refluye al meter un cuchillo en ella. Sumerja la punta del pincel en la pintura. Con un movimiento circular, refriegue el pincel en una toalla de papel hasta que las cerdas queden casi secas.

2 Pintura de crayón. Quite la cubierta protectora de parafina del crayón, utilizando toalla de papel. Marque un círculo de pintura de 3,8 cm (1 1/2") sobre el área en blanco de la plancha del esténcil. Cargue el pincel de pintura refregándolo suavemente en la pintura con un movimiento circular. Primero en una dirección y luego en la otra.

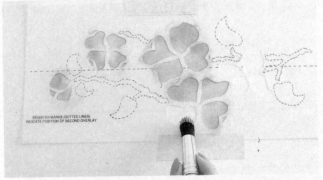

3 Mantenga la plancha del esténcil firme contra la superficie. Con el pincel sostenido perpendicularmente a la superficie y utilizando un movimiento circular, aplique una ligera capa de pintura a las áreas abiertas del esténcil o patrón para estarcir.

4 Levante una esquina del esténcil y revise la impresión; siga aplicando pintura hasta que obtenga la intensidad de color deseada en las áreas del primer color. Utilice toda la pintura de las cerdas antes de untar más en el pincel.

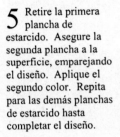

5 Retire la primera plancha de estarcido. Asegure la segunda plancha a la superficie, emparejando el diseño. Aplique el segundo color. Repita para las demás planchas de estarcido hasta completar el diseño.

6 Retoque trazos de manchas utilizando pinturas de fondo y pincel fino. Deje que la pintura se cure durante un mes. Ya curada, la pintura se podrá lavar con jabón y agua.

ESTARCIDO DOBLANDO UNA ESQUINA

Esquina en inglete. Haga una diagonal sobre la esquina con cinta de enmascarar. Aplique el estarcido de un lado hasta el lugar de la cinta; deje secar la pintura. Recoloque la cinta sobre el borde del diseño estarcido. Gire la plancha del esténcil y complete el motivo.

Esquina modificada. Recoloque la plancha del estarcido en las esquinas y altere el diseño según se requiera alrededor de la esquina. Esta técnica se puede utilizar para diseños curvos o con espacios libres en la continuidad de motivo.

Esquina interrumpida. Realice el estarcido de un patrón individual utilizando un motivo ligeramente más ancho que el diseño de los bordes. Haga el estarcido de las esquinas en primer lugar para seguir con los lados.

MAS IDEAS PARA EL ESTARCIDO

Este estarcido, aplicado bajo la moldura cóncava, crea una orla.

Motivos de Art Deco ornamentan un marco de ventana. El arreglo de la esquina interrumpida (pág. 75) le da mayor realce.

Motivos al azar, adaptados de un paño para tapizado, decoran el área que rodea la ventana.

Una orla de enredaderas y bayas enmarcan la chimenea. La canasta campestre le agrega un punto focal al decorado.

Los motivos griegos rodeados por molduras de marcos de pared (pág. 68), le añaden un tono dramático a una sala mixta.

CORTINAS LATERALES COLGANTES

Para un arreglo de ventanas sin costuras que posea una apariencia liviana y suelta, coloque cortinas de paño suave y de poco peso para crear una cenefa de profundidad y unas elegantes caídas en el piso. Este arreglo es el apropiado para cubrir completamente ventanas angostas y cortinas laterales para ventanas más amplias.

El cortinaje se monta sobre una barra extensora de balanceo o brazo de soporte móvil, que se puede adquirir en presentación de estilo antiguo o contemporáneo. Estas barras, que se extienden aproximadamente de 38 a 56 cm (15" a 22") pueden abrirse girándolas hacia afuera.

Seleccione un paño suave de poco peso que tenga la misma apariencia por los dos lados y que posea un orillo atractivo o mínimo. Si el paño se deshila, sería aconsejable que le dé un acabado al borde inferior.

INSTRUCCIONES PARA EL CORTE

Mida la longitud desde la barra de soporte hasta el piso. Utilice una anchura de paño para cada sección de cortina y la longitud de cada cortina lateral igual a la distancia medida más 152,5 cm (60") para crear la cenefa y la caída de cortinaje al piso.

HECHURA DE LAS CORTINAS LATERALES

MATERIALES

- Paño ligero, de por lo menos 137 cm (54") de ancho
- Juego de barras extensibles con balanceo
- Cinta para alfombra de doble adhesión

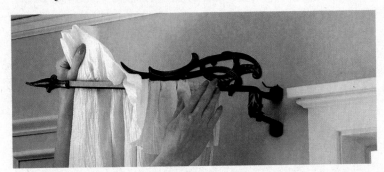

1 Corte y aplique cinta de doble adhesión al respaldo de la barra. Cuelgue la cortina por el borde superior en la barra, con aproximadamente 10 cm (4") del doblez hacia el lado posterior; asegure el paño a la cinta distribuyendo uniformemente el conjunto de pliegues.

2 Recoja el paño, sin que quede muy apretado, unos 91 cm (36") por debajo de la barra; doble hacia arriba esa parte inferior de la cortina y pásela sobre la barra, con los pliegues recogidos colocados por encima de la barra, para formar una cenefa de 46 cm (18").

3 Arregle la cenefa distribuyendo uniformemente los pliegues y doblando hacia el interior los orillos.

4 Arregle la porción del fondo de las cortinas plegándolas de manera suelta y ocultando los bordes inacabados y los orillos del paño.

CORTINAS CON OJALES Y CORDON

Las cortinas con ojales metálicos y cordón constituyen un arreglo de ventana que no necesita de forro y es de fácil costura. Los ojales metálicos, insertados en el borde superior de la cortina, se dejan espaciados para lograr una apariencia suelta y sin estructuras. Cuelgue las secciones de las cortinas de una pértiga o de una barra decorativa para cortinas, utilizando cordón, cinta decorativa o lazo de cuero insertado a través de los ojales metálicos. Coloque los ojales usted mismo con un aparato especial o mándelos instalar en una tienda de toldos o en una tapicería.

La colocación de los ojales metálicos afectará notablemente el plegado de las cortinas. Si prefiere un plegado tradicional, los ojales extremos se colocan en las esquinas externas de la cortina; dicho método se deberá utilizar si abre y cierra las cortinas continuamente o si la barra se puede devolver. Si quiere acentuar la apariencia libre de estructura con esquinas plegadas, los ojales extremos se colocan a una distancia de 12,5 a 20,5 cm (5" a 8") de las esquinas de la cortina.

INSTRUCCIONES PARA EL CORTE

Calcule la longitud del paño de la cortina con la medición desde el fondo de la pértiga hasta donde desee que llegue el borde inferior de la cortina; luego reste el espacio que va a dejar entre el fondo de la pértiga y el borde superior de la cortina. Si quiere cortinas que cuelguen hasta el piso, deje un espacio libre de 1,3 cm (1/2") entre el cortinaje y el piso. Para las caídas del cortinaje hasta el piso, agregue de 46 a 61cm (18" a 24").

La longitud cortada del paño debe ser igual a la longitud deseada de acabado de la cortina más 7,5 cm (3") para el dobladillo superior. Agregue 20,5 cm (8") para un dobladillo doble de 10 cm (4") para el borde inferior; si se desea la cortina con caída, agregue sólo 5 cm (2") para un dobladillo de 2,5 cm (1").

La anchura total del corte del paño decorativo debe ser igual a dos veces y media la anchura de la pértiga de soporte. Divida dicho total en dos para las dos secciones laterales de cortinas y para cada cortina agregue 15 cm (6") para los dobladillos laterales. Si fuere necesario unir piezas de paño para obtener determinada anchura, igualmente deberá agregar 2,5 cm (1") por cada costura.

Fije el espaciamiento y el número de ojales para cada cortina lateral. Los ojales tienen una separación de 25,5 y 38 cm (10" a 15"), dependiendo de la cantidad de cortina que se desee entre cada ojal. Para las esquinas plegadas de cortinas coloque los ojales de cada extremo a una distancia de las esquinas exteriores igual a la mitad del espacio entre los ojales.

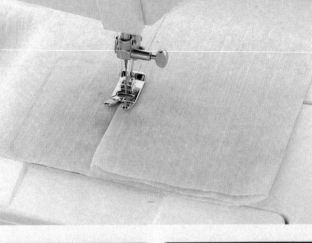

MATERIALES

- Paño decorativo liviano

- Juego de pértigas o barra de soporte decorativa para cortina

- Ojales tamaño 0 ó 6 mm (1/4"); aparato para insertar ojales

- Cordones

- Malla de nylon, para proteger el paño delgado

1 Una con costuras los anchos para sección de cortina, utilizando un margen de costura de 1,3 cm (1/2"); termine las costuras. Planche el borde inferior de la sección dos veces no más de 10 cm (4") para cortinas largas hasta el piso; planche dos veces hasta 2,5 cm (1") para las cortinas con caída al piso. Cosa para hacer dobladillo doble, utilizando costura recta o puntada invisible. (En este caso se utilizó hilo de contraste para ilustrar en detalle).

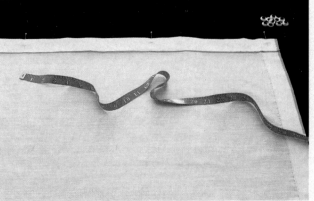

2 Planche hasta 3,8 cm (1 1/2") en los lados. Cosa para hacer dobladillo doble, utilizando costura recta o puntada invisible.

3 Planche dos veces por debajo de 3,8 cm (1 1/2") en el borde superior para hacer dobladillo. Corte el exceso de capas de paño en las esquinas.

4 Marque el espacio de separación de los ojales con marcas en los extremos para la forma de cortina convencional o en los bordes laterales a una distancia igual a la mitad de la separación para las esquinas plegadas. Marque la separación de los demás ojales de manera uniforme entre las marcas de los extremos.

5 Refuerce el paño delgado de decoración colocando una malla de 3,8 cm cuadrados (1 1/2") en el primer pliegue del dobladillo superior en cada marcación para el ojal. Doble y cosa el dobladillo utilizando costura recta o puntada invisible.

6 Fije los ojales con un insertador de ojales; sitúe el borde superior de los ojales a aproximadamente 1,3 cm (1/2") del borde superior del paño de la cortina. Inserte los cordones en los ojales y elabore nudos y moños alrededor de la pértiga. Instale la pértiga.

Los detalles en hiedra para ventana añaden un toque romántico a una ventana con un arreglo formal en festones (arriba) o suavizan el aspecto de una persiana (en la foto del recuadro).

DECORACION DE VENTANAS CON HIEDRA

Decore con festones de aspecto formal o suavice los arreglos para cortinillas mediante detalles decorativos en hiedra de seda. Las enredaderas de madreselva le dan mayor atractivo, a la vez que forman una base para sostener la hiedra. Las enredaderas se pueden adquirir en manojos en las floristerías. Aun cuando la madreselva es muy dispendiosa de instalar, sus ramas plegables facilitan el trabajo. Agregue flores de seda al arreglo, si así lo prefiere. Resultan más fáciles de arreglar los tallos muy florecidos que flores individuales.

MATERIALES

- Enredaderas de madreselva
- Hiedra de seda

- Flores de seda, opcionales
- Armellas pequeñas; alambre delgado; corta-alambre

DECORACION DE UNA VENTANA CON HIEDRA

1 Fije las armellas roscadas en el borde superior del marco de la ventana, cerca de los extremos, a intervalos entre 0,95 a 1,27 m. Inserte un alambre de 46 cm (18") de longitud por cada ojo de la armella.

2 Desenrolle algunas de las enredaderas de madreselva. Comenzando por un extremo, envuelva el alambre alrededor de las enredaderas. Enrolle el alambre para asegurar las enredaderas, sin que se noten los extremos del alambre.

3 Arregle la hiedra como lo prefiera, con las ramas insertadas en las enredaderas de la madreselva para que queden aseguradas.

4 Si desea, adorne con flores los tallos insertados para lucir flores individuales o abundante floración.

Detalles para salones

D iseñe sus propias lámparas de mesa usando jarrones decorativos, ya sea de cerámica, vidrio tallado o porcelana. La mayoría de jarrones que poseen un remate de abertura liso y redondeado pueden transformarse en una base para lámpara si se les perfora un orificio en la base. Las partes para lámparas se pueden adquirir en almacenes de accesorios para iluminación y en las ferreterías; aplique las técnicas para el ensamblaje y conexiones eléctricas de lámparas, que se describen en las págs. siguientes.

Perfore el orificio o mándelo hacer en un almacén o en una vidriería. Para perforar material de cerámica o de vidrio se precisa de una broca de cerámica o diamante. Vierta alcohol mineral en el fondo de la jarra, antes de perforar, con el fin de evitar la probabilidad de fracturas; el alcohol actúa como agente lubricante y refrigerante. En caso de que el fondo del jarrón no sea ahuecado, cree la concavidad para el alcohol mineral mediante la pistola de pegante para formar un reborde de pegante. Tenga siempre presente que existe una probabilidad de fractura del jarrón al efectuar la perforación; debido a ello, es mejor no utilizar piezas muy valiosas o irremplazables.

Escoja una pantalla proporcional al jarrón; comúnmente, la profundidad de la pantalla es de 5 cm (2") menos que la altura del jarrón. El borde inferior de la pantalla deberá quedar al nivel de la base del soporte del portalámpara. Seleccione un portalámpara del tamaño adecuado.

PIEZAS DE LA LAMPARA

A continuación describimos las piezas de una lámpara según su orden de ensamblaje:

Tuerca ciega plástica, tuerca hexagonal, arandela de seguridad y arandela de la tapa de protección, *todos ellos aseguran el extremo del tubo envolvente de conexión para la lámpara en la parte inferior de la base de la misma.*

La base de la lámpara *está ubicada en el fondo de la misma y en ella reposa el jarrón. Seleccione una lámpara con base de pedestal o una con orificio para insertar el cable eléctrico con el objeto de que la lámpara se asiente bien nivelada en la mesa. Las bases para lámpara vienen en gran variedad de estilos y en materiales como bronce, madera y mármol.*

El tubo de conexión de la lámpara *va insertado por el orificio taladrado en el fondo del jarrón. Sostiene las piezas de la lámpara, además de que el cable eléctrico pasa a través del tubo.*

La cubierta del jarrón *cubre la abertura superior. Se consiguen en muchos acabados y en tamaños que aumentan de 3 mm (1/8").*

El cuello (o cogote) *determina la altura del soporte del portapantalla y de la lámpara. Los cuellos de bronce o metal se pueden conseguir en variedad de tamaños.*

El soporte del portapantalla (o harpa) *se separa del propio portalámpara con el fin de dar cabida al enchufe hembra.*

La arandela de seguridad *se ubica por encima del soporte del portalámpara.*

El casquillo de enchufe *hembra o tomacorriente se atornilla sobre el tubo de conexión de la lámpara para asegurar el ensamblaje.*

El tomacorriente con manguito aislador y cubierta exterior *queda asegurado allí por el casquillo del tomacorriente.*

El portapantalla (o harpa) *sitúa la pantalla sobre la lámpara. Los manguitos metálicos fijan el propio portapantalla a cada extremo del soporte del portalámpara. Los portapantallas se pueden conseguir de diferentes alturas para que se adapten a diferentes estilos de pantallas.*

La pantalla *está sostenida por el portapantalla. En general, seleccione una pantalla proporcional al jarrón; usualmente la profundidad de la pantalla es de cerca de 5 cm (2") menos que la altura del jarrón. El borde inferior de la pantalla deberá quedar al nivel con la base del soporte del portapantalla. Ajuste la altura del portapantalla según se requiera para la correcta colocación de la pantalla.*

El florón o remate *mantiene la pantalla en su lugar sobre el portapantalla, además de que resulta un toque decorativo. Los estilos de florón van desde el metal torneado hasta la filigrana o el cristal de ornamentación.*

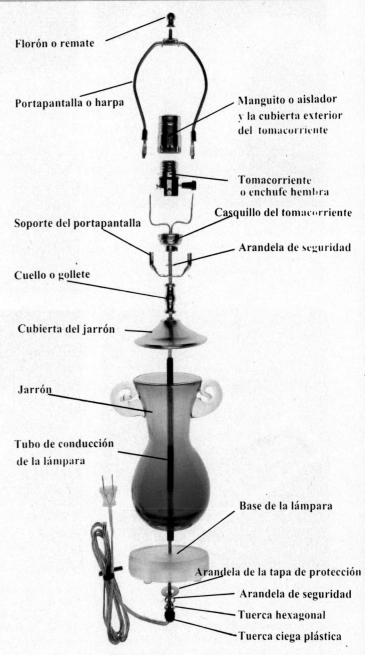

Florón o remate

Portapantalla o harpa

Manguito o aislador y la cubierta exterior del tomacorriente

Tomacorriente o enchufe hembra

Casquillo del tomacorriente

Soporte del portapantalla

Arandela de seguridad

Cuello o gollete

Cubierta del jarrón

Jarrón

Tubo de conducción de la lámpara

Base de la lámpara

Arandela de la tapa de protección

Arandela de seguridad

Tuerca hexagonal

Tuerca ciega plástica

MATERIALES

- Un jarrón; cubierta para el jarrón que se ajuste bien
- Base de lámpara; almohadilla autoadhesiva para la base
- Tubo de conducción de 1/8" por segundo; tuerca ciega de plástico, tuerca hexagonal, dos arandelas de seguridad, arandela de protección
- Cable para lámpara eléctrica con enchufe macho para pared
- Tomacorriente conmutable de 3 direcciones o interruptor de pulsación para bombilla de un vatio

- Cuello o gollete de bronce o cobre
- Portapantalla (o harpa)
- Pantalla (caperuza); florón
- Taladro; broca de 1,3 mm ((1/2")) de cerámica o diamante; alcohol mineral; postila de pegante y aplicador, opcional
- Sierra para metal, para cortar el tubo de conducción de la lámpara
- Destornillador; cuchillo corriente; pelacables, opcional

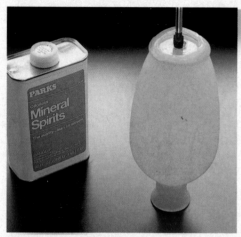

1 Vierta una pequeña cantidad de alcohol mineral en el fondo del jarrón; si es necesario, haga un pozo mediante pegante. Perfore un orificio en el centro del fondo del jarrón, utilizando una broca de cerámica o diamante; no debe aplicar una presión excesiva al perforar.

2 Fije la tuerca ciega, la tuerca hexagonal, la arandela de seguridad y la arandela de la tapa de protección a uno de los extremos del tubo de conducción de la lámpara. A fin de calcular la longitud del tubo de conducción, arme la lámpara por encima de la arandela de la tapa de protección, en el siguiente orden: la base de la lámpara, el jarrón, la cubierta del jarrón, el cuello, el soporte del portapantalla y la arandela de seguridad. Marque una línea de corte en el tubo de conducción a 1 cm (3/8") por encima de la arandela de seguridad. Desarme la lámpara.

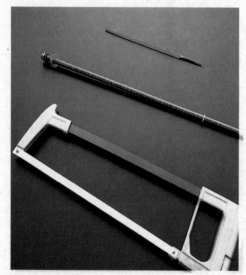

3 Enrosque la tuerca hexagonal en el tubo de conducción, por debajo de la línea de corte a fin de que sea una guía. Corte el tubo de conducción por la línea demarcada utilizando una segueta. Quite lentamente la tuerca hexagonal, corrigiendo las roscas que se hubieran afectado. Si fuere necesario, lime las rebabas con una lima metálica.

4 Reensamble la lámpara tal como se indicó en el paso 2. Afloje el tornillo ubicado al costado del casquillo del tomacorriente. Atornille el casquillo del tomacorriente sobre el tubo de conducción; apriételo bien.

5 Inserte el cable eléctrico en el tubo de conducción hacia arriba, en caso de que se trate de una base de lámpara de pedestal. Si la base tiene orificio, inserte el cable por él, y luego, a través del tubo de conducción.

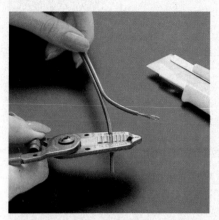

6 Separe el extremo del cable por la línea media de aislamiento con un cuchillo corriente; unos 5 cm (2"). Quite entre 1,3 y 2 cm (1/2" a 3/4") del revestimiento aislante de los extremos con un pelacables o un cuchillo.

7 Haga un nudo de aseguramiento formando una presilla u ojete superior con uno de los dos cables y uno por debajo con el otro cable; inserte cada cable por el ojete del otro cable.

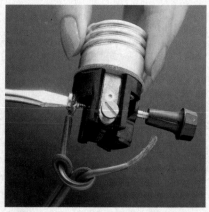

8 Afloje los tornillos terminales del tomacorriente. Dé una vuelta al alambre alrededor del tornillo dorado; apriete el tornillo. Cerciórese de que todos los filamentos del cable han quedado enrollados alrededor de los tornillos.

9 Deje el nudo de aseguramiento contra la base del tomacorriente en el casquillo de éste. Deslice el manguito y la cubierta exterior sobre el tomacorriente con los tornillos terminales completamente cubiertos y la ranura del manguito alineada sobre el interruptor.

10 Apriete el conjunto armado hacia adentro del casquillo del tomacorriente hasta que éste quede asegurado. Una la almohadilla autoadhesiva para la base al fondo de la base de la lámpara, si fuere preciso.

11 Levante los manguitos metálicos de los extremos del portapantalla; deslice los manguitos metálicos sobre el soporte del portapantalla a fin de asegurarla. Inserte la bombilla.

12 Coloque la pantalla en el portapantalla o harpa; fije la caperuza.

MAS IDEAS PARA LAMPARAS DE MESA

Este jarrón de jengibre (arriba), complementado con una pantalla de lino, crea una lámpara de estilo tradicional.

Una rociadora se utilizó en lugar de un jarrón para crear esta lámpara de estilo campestre. En la caperuza se utilizó estarcido como en la pág.72.

El jarrón oriental (abajo) se posa sobre una base ornamentada de madera. La pantalla opaca proyecta la luz hacia abajo para realzar el conjunto de detalles decorativos chinos.

El jarrón de vidrio multicolor *(arriba) se ha complementado con una pantalla oscura para producir un efecto impactante.*

Este jarrón de barro *(a la derecha) descansa sobre una base metálica decorativa.*

Este jarrón en vidrio tallado *(abajo) crea una lámpara clásica al complementarse con una pantalla plisada. Para pantallas transparentes utilice tubo de conducción de bronce con extremos roscados.*

PASPARTU Y MARCOS

Diseñe sus propios paspartús para impresos, fotografías o en arte textil y enmarque los trabajos aplicando técnicas sencillas. Las obras de arte se elaboran en paspartú con capa individual o capa doble de marco de cartón para paspartú y luego se arma sobre un cartón de refuerzo, a lo que sigue el enmarcado. Con tan sólo unas pocas herramientas se tiene la posibilidad de lograr resultados de nivel profesional.

En tiendas de artículos para las artes y en marqueterías se pueden hallar los elementos básicos para el enmarcado. En ferreterías y vidrierías venden y cortan vidrio de alta resistencia, un vidrio no muy costoso y que no se deforma, adecuado para la mayoría de trabajos de arte.

Utilice un cortador de moldes de cartón que tenga un filo biselado de 45°. Las cuchillas para cartón vienen en variedad de estilos y precios. Si quiere obtener los mejores resultados seleccione una que tenga una cuchilla retractable y que tenga señalada una línea de comienzo-y-final. Las instrucciones específicas para el corte podrán cambiar según el tipo de cuchilla o cortador para moldes de cartón.

Utilice paspartú y cartón de refuerzo libre de ácidos con el fin de preservar fotografías o impresos; dichos cartones de refuerzo tienen una capa de amortiguador que neutraliza el ácido contenido en la pulpa de madera. Al enmarcar obras valiosas o de carácter irreemplazable, adquiera cartones de refuerzo de la misma calidad que usan los museos, elaborados ciento por ciento en tela de algodón.

Seleccione cartones para paspartú de texturas y colores que complementen y realcen la obra de arte sin que sean más llamativos que el propio cuadro. Para muchas piezas, un paspartú bastará para un marco muy atractivo; sin embargo, se puede aplicar un doble marco en paspartú para darle profundidad al cuadro. Generalmente, el color del marco interior del paspartú reproduce el color dominante del cuadro, mientras que el color del marco interior acentúa rasgos interesantes y dirige la atención hacia el cuadro.

El ancho del marco exterior en paspartú varía con el tamaño del impreso y el efecto estético que se busca. Experimente con tiras de papel a fin de determinar el ancho deseado.

No utilice marcos y paspartús de la misma anchura; generalmente el marco exterior en paspartú es por lo menos el doble del ancho del marco. En casi todos los casos, los cuatro bordes del marco de

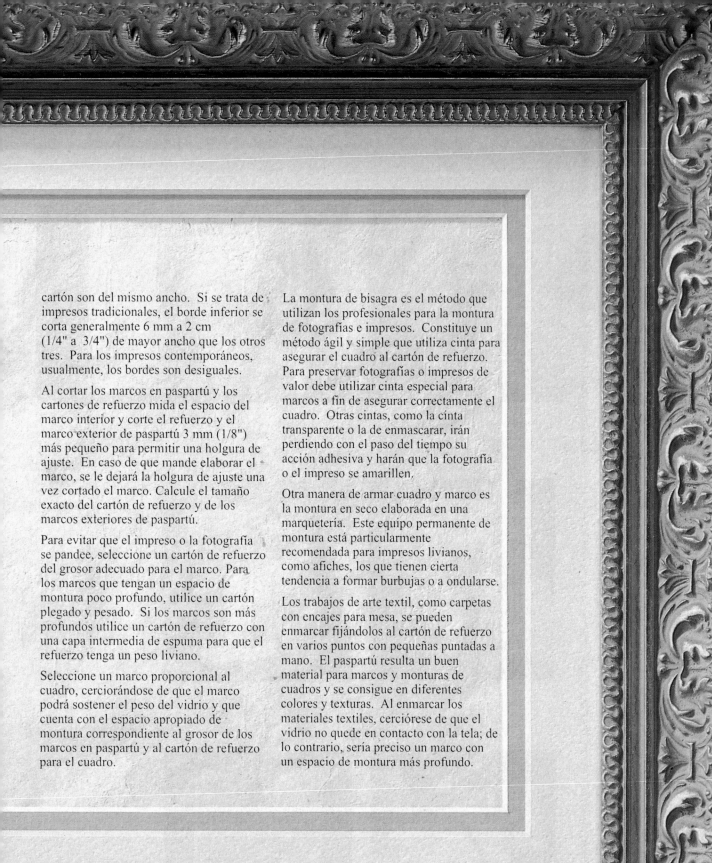

cartón son del mismo ancho. Si se trata de impresos tradicionales, el borde inferior se corta generalmente 6 mm a 2 cm (1/4" a 3/4") de mayor ancho que los otros tres. Para los impresos contemporáneos, usualmente, los bordes son desiguales.

Al cortar los marcos en paspartú y los cartones de refuerzo mida el espacio del marco interior y corte el refuerzo y el marco exterior de paspartú 3 mm (1/8") más pequeño para permitir una holgura de ajuste. En caso de que mande elaborar el marco, se le dejará la holgura de ajuste una vez cortado el marco. Calcule el tamaño exacto del cartón de refuerzo y de los marcos exteriores de paspartú.

Para evitar que el impreso o la fotografía se pandee, seleccione un cartón de refuerzo del grosor adecuado para el marco. Para los marcos que tengan un espacio de montura poco profundo, utilice un cartón plegado y pesado. Si los marcos son más profundos utilice un cartón de refuerzo con una capa intermedia de espuma para que el refuerzo tenga un peso liviano.

Seleccione un marco proporcional al cuadro, cerciorándose de que el marco podrá sostener el peso del vidrio y que cuenta con el espacio apropiado de montura correspondiente al grosor de los marcos en paspartú y al cartón de refuerzo para el cuadro.

La montura de bisagra es el método que utilizan los profesionales para la montura de fotografías e impresos. Constituye un método ágil y simple que utiliza cinta para asegurar el cuadro al cartón de refuerzo. Para preservar fotografías o impresos de valor debe utilizar cinta especial para marcos a fin de asegurar correctamente el cuadro. Otras cintas, como la cinta transparente o la de enmascarar, irán perdiendo con el paso del tiempo su acción adhesiva y harán que la fotografía o el impreso se amarillen.

Otra manera de armar cuadro y marco es la montura en seco elaborada en una marquetería. Este equipo permanente de montura está particularmente recomendada para impresos livianos, como afiches, los que tienen cierta tendencia a formar burbujas o a ondularse.

Los trabajos de arte textil, como carpetas con encajes para mesa, se pueden enmarcar fijándolos al cartón de refuerzo en varios puntos con pequeñas puntadas a mano. El paspartú resulta un buen material para marcos y monturas de cuadros y se consigue en diferentes colores y texturas. Al enmarcar los materiales textiles, cerciórese de que el vidrio no quede en contacto con la tela; de lo contrario, sería preciso un marco con un espacio de montura más profundo.

- Paspartú
- Cinta especial para marquetería, de doble adhesión, para marco doble en paspartú
- Cinta especial de marquetería, para montura de bisagra
- Tablero de montaje, para la montura de trabajos textiles
- Cartón de refuerzo para el cuadro
- Cortador de moldes de cartón o paspartú; cuchillo normal; regla metálica con base de corcho.

CORTE DE UN PASPARTU SENCILLO

1 Marque las dimensiones externas del paspartú en el revés de la lámina, verificando que las esquinas queden rectangulares. Utilizando un cuchillo corriente y una regla, remarque por la línea demarcada; repita hasta que la lámina de paspartú quede cortada.

2 Marque el ancho de los bordes del paspartú midiendo a partir de cada borde para hacer dos marcas en cada lado. Con un lápiz de punta bien aguda y una regla, trace las líneas para unir las marcas; prolongue las líneas hasta casi el borde del cartón.

3 Coloque un pedazo de paspartú por debajo del área que va a cortar. Con la regla, alinee el borde del cortador de paspartú con la línea marcada, colocando la línea del comienzo-y-final de corte (ver flecha) del cortador a nivel con la línea del borde inferior.

4 Presione la cuchilla del cortador en el paspartú. Corte sobre la línea demarcada pasando la cuchilla suavemente; deténgase en el punto donde se cruza la línea de comienzo-y-final (ver flecha) con la línea del borde superior. Saque la cuchilla del paspartú. Repita hasta cortar los demás lados.

CORTE DE UN PASPARTU DOBLE

1 Corte el marco del paspartú exterior tal como se indicó en los pasos 1 a 4 para un paspartú sencillo. Utilice la sección recortada del marco exterior para colocarla como apoyo para hacer más cortes.

2 Corte las dimensiones precisas para el exterior del paspartú del marco interior con 6 mm (1/4") más pequeño que el marco exterior.

3 Coloque la cinta de doble adhesión a lo largo de los bordes internos del paspartú exterior, sobre el respaldo. Coloque el paspartú interior al contrario y bien centrado, sobre el respaldo, del paspartú exterior.

4 Marque el ancho de los bordes del paspartú interior, midiendo desde el borde externo del paspartú exterior; con ello se podrán obtener bordes uniformes. Corte el paspartú interno.

MONTURA DE BISAGRA PARA UN CUADRO

1 Corte la lámina de paspartú. Coloque el cuadro sobre una superficie lisa, con la cara hacia arriba. Corte dos tiras de cinta para marcos de aproximadamente 2,5 cm (1"); adhiera la mitad de cada cinta en el borde superior del respaldo del cuadro, tal como se ilustra, colocando la cinta cerca de los extremos.

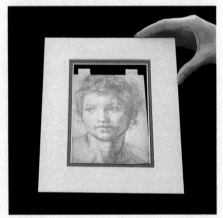

2 Coloque el paspartú al derecho, encima del cuadro, en la posición deseada. Presione con fuerza sobre todo el borde superior del paspartú para fijar bien la cinta adhesiva.

3 Voltee el marco del paspartú y el cuadro; presione con fuerza para fijar bien la cinta. Adhiera la tira de cinta de marquetería en el paspartú, directamente a lo largo del borde del cuadro perpendicular a la primera tira de cinta. Repita para el otro extremo.

4 Corte el cartón de refuerzo del mismo tamaño que el paspartú. Coloque el cuadro y el marco de paspartú sobre el refuerzo.

ENMARCADO DE TEXTILES DECORATIVOS

1 Corte el cartón de paspartú (ver corte de un paspartú sencillo pág. 94); corte el tablero de montaje de aproximadamente 5 cm (2") más grande que el paspartú. Centre el detalle textil en el tablero de montaje. Para los puntos en los que el textil se puede fijar con pequeñas puntadas, utilice una aguja grande para marcar el tablero de montaje punzándolo.

2 Quite el textil decorativo del tablero de montaje; con una lezna haga orificios donde se había marcado con la aguja y otros a 3 mm (1/8") de cada marcación.

3 Vuelva a colocar el textil. Asegúrelo al tablero de montaje en cada grupo de orificios con aproximadamente 3 puntadas, utilizando un hilo que armonice con el detalle textil. Anude las colas de hilo al respaldo del tablero y fíjelos con cinta.

4 Levante el tablero de montaje y verifique si el textil quedó adecuadamente sostenido; si fuere necesario, cosa puntadas adicionales. (Utilizamos hilo de contraste para ilustrar el detalle).

5 Corte tiras de cinta de doble adhesión; adhiéralas al respaldo del paspartú a lo largo de los bordes interiores. Coloque el paspartú sobre el tablero de montaje; presione sobre los bordes para fijarlo bien.

6 Corte el tablero de montaje parejo con los bordes del paspartú, utilizando regla y cuchillo corriente. Adhiera con cinta tiras de paspartú a los lados del marco, a fin de evitar que el vidrio quede en contacto con el textil al ser enmarcado.

MONTAJE DE UN CUADRO CON UN MARCO DE MADERA

MATERIALES

- Marco de madera para cuadro
- Puntilla de 2 cm (3/4"), para el marco
- Herramienta especial para enmarcar o alicates de articulación movible
- Papel de estraza para manualidades; cinta de marquetería de doble adhesión
- Dos armellas roscadas o un soporte colgante de diente de sierra
- Fieltro autoadhesivo o amortiguadores de espuma
- Lezna pequeña; alambre trenzado para el cuadro; cinta de enmascarar

1 Se aplican los procedimientos descritos anteriormente (págs. 94 y 95) para el paspartú y la montura como para el corte del paspartú. Limpie los dos lados del vidrio con limpiador para vidrio y un paño que no deje hilachas. Coloque el vidrio sobre el cuadro y el tablero de refuerzo, con los bordes emparejados; no deslice el vidrio sobre la superficie del paspartú. Coloque el marco sobre el vidrio.

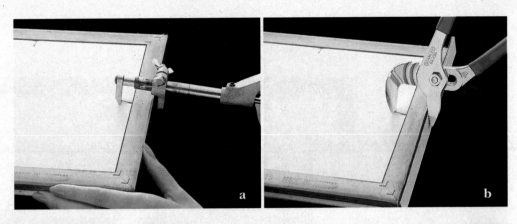

2 Deslice los dedos bajo el tablero de montaje y déle vuelta al marco. Inserte puntillas de 2 cm (3/4") en la mitad de cada lado del marco, utilizando un ajustador de marcos (**a**). O utilice alicates de articulación movible (o de expansión) (**b**) protegiendo el borde exterior del marco con una tira de cartón.

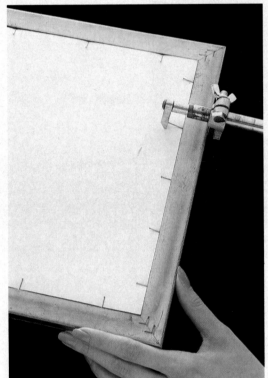

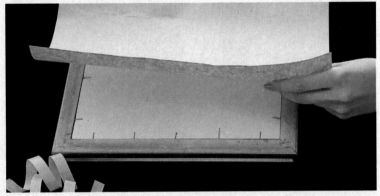

4 Adhiera la cinta especial para marcos, de doble adhesión, en el respaldo del marco, a unos 3 mm (1/8") de los extremos. Corte el papel de estraza 5 cm (2") más grande que el marco; coloque el papel en el respaldo del marco, fijándolo al centro de cada borde del marco y dejando tirante el papel.

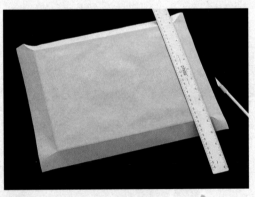

5 Trabajando desde el centro hacia cada una de las esquinas, extienda el papel y fije el marco. Pliegue el papel en el borde exterior del marco. Valiéndose de una regla y un cuchillo corriente, corte el papel aproximadamente 3 mm (1/8") hacia el interior de la línea de plegado.

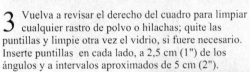

3 Vuelva a revisar el derecho del cuadro para limpiar cualquier rastro de polvo o hilachas; quite las puntillas y limpie otra vez el vidrio, si fuere necesario. Inserte puntillas en cada lado, a 2,5 cm (1") de los ángulos y a intervalos aproximados de 5 cm (2").

6 Marque la ubicación de las armellas por medio de una lezna aproximadamente a un tercio de la longitud desde el borde superior; asegure las armellas dentro del marco. Enhebre dos o tres veces el alambre por uno de los ojetes de la armella; tuerza el cable. Repita en el otro extremo, pero deje el alambre holgado; el alambre por lo general de 5 a 7,5 cm (2" a 3") del lado superior del marco, una vez colgado.

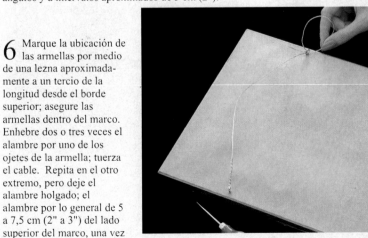

7 Cubra los extremos del alambre con cinta de enmascarar. Fije los amortiguadores de espuma o el fieltro autoadhesivo al respaldo del marco, en las esquinas inferiores.

IDEAS PARA EL PASPARTU Y EL MARCO DE CUADROS

Este grupo de cuadros descansa sobre una repisa de madera para exposición.

La cinta decorativa, *plegada y aplicada en las esquinas del paspartú, realza una estampa romántica.*

Dos impresos de caligrafía china *(izq.) se exhiben en paspartús grandes y asimétricos en un arreglo contemporáneo.*

El paspartú francés utiliza franjas de papel vergé para destacar los matices de este grabado. Fije las tiras de papel con cinta de doble adhesión.

Un diseño estarcido (pág. 72) le agrega un toque decorativo al paspartú del cuadro.

La cinta metálica es una orla sencilla para el cuadro enmarcado en paspartú que aparece a la derecha.

COJINES DECORATIVOS

Los cojines decorativos constituyen una excelente manera de realzar los colores o las texturas poco comunes para el esquema decorativo de su sala. Acomodados sobre sofás y sillones, los cojines crean una atmósfera cálida y acogedora.

Tratándose de salas tradicionales, los cojines representan una económica manera de utilizar profusamente paños y adornos para lograr un toque de elegancia y distinción. Para salas contemporáneas, los cojines coloridos podrán avivar los muebles tapizados en tonos neutros o en un solo color.

Los cojines 'de filo' resultan fáciles de elaborar; un simple cierre de costura hace que el cojín tenga un aspecto decorativo en las dos caras. Si lo prefiere, destaque los bordes del cojín agregándole una orla; la mayoría de orlas tienen una franja decorativa que se puede coser a mano. Otra forma más de adornar un cojín es la de insertar un ribete trenzado dentro de la costura de los bordes del cojín.

En realidad, se puede aplicar una amplia diversidad de adornos, tales como trencillas y galones a la cara frontal de un cojín decorativo. Dichos adornos pueden ir en puntadas al frente del cojín, antes de armar el mismo.

Los moldes del cojín con relleno de fibra de poliéster o de plumas pueden adquirirse en una gran variedad de tamaños. Aunque también es posible elaborar un molde propio para cojín, cosiendo el forro tal como se haría con un cojín 'de filo' y colocándole el relleno de fibra de poliéster.

MATERIALES

- Paño decorativo
- Molde para cojín
- Relleno de fibra poliester, para rellenar las esquinas
- Guarniciones decorativas, como ribetes trenzados u orlas, opcional

COJIN BASICO ESTILO 'DE FILO'

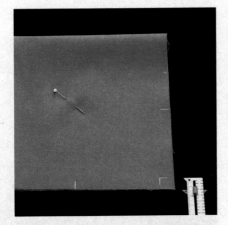

1 Corte las caras frontal y posterior del cojín de 2,5 cm (1") más amplias que el molde del cojín. Señale un punto entre la esquina y el doblez en cada lado abierto, justo en la mitad. En la esquina, marque un punto a 1,3 cm (1/2") del borde basto.

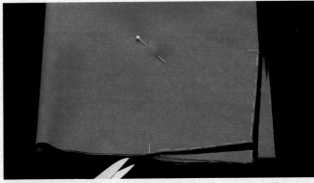

2 Marque líneas, angostándolas desde los bordes bastos de las guías del centro hasta las guías de las esquinas. Corte las líneas.

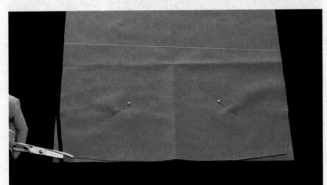

3 Use el derecho del cojín como patrón para cortar el respaldo del mismo de manera que todas las esquinas queden angostadas. Así se eliminarán las esquinas con puntadas dobladas en los cojines terminados.

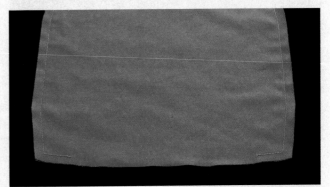

4 Sujete con alfileres el frente del cojín a su respaldo, colocando los derechos uno contra el otro. Haga una costura de 1,3 cm (1/2") y deje una abertura en un lado para voltear e insertar el molde del cojín.

(Continúa)

5 Voltee la cubierta del cojín para que quede por el derecho, extendiendo las esquinas. Planche por debajo de las márgenes de costura de la abertura.

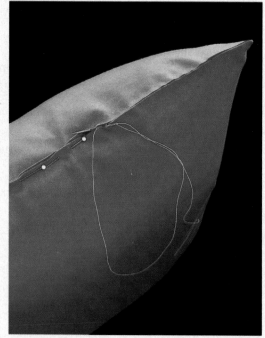

6 Inserte el molde del cojín; acomode el relleno de fibra en las esquinas del cojín según lo requiera.

7 Sujete con alfileres para cerrar la abertura, haga puntada invisible o borde cerca del borde doblado.

BORDES DECORATIVOS

Ribete sin franja decorativa. Embaste a máquina por el derecho del cojín, con el encabezado del fleco dentro del margen de costura. Corte los flecos en los extremos entre los ojetes y la vuelta de la puntada a mano con el fin de asegurarlos; empalme los extremos ajustándolos. Coloque el frente y el respaldo del cojín con sus derechos contra sí; cosa a máquina. Inserte el molde del cojín.

Ribete con franja decorativa. Sujete el ribete u orla decorativa alrededor del borde exterior de la cubierta del cojín. Haga la unión de las esquinas en inglete doblando la orla en diagonal. Cosa a mano a lo largo de ambos bordes de la orla y a lo largo del doblez diagonal de las esquinas unidas en inglete. Inserte el molde del cojín.

1 Identifique el derecho del ribete trenzado, por el derecho, el borde interior de la cinta del ribete se debe ocultar. Cosa el ribete para unirlo al respaldo del cojín, utilizando un pisacostura de cremallera, con los derechos hacia arriba y el borde externo de la cinta del ribete alineada con el borde basto del paño, deje 3,8 cm (1 1/2") sin coser entre los extremos; deje colas de 7,5 cm (3").

2 Quite las puntadas de la cinta del ribete que quedan en las colas. Separe los cordones; envuelva la cinta transparente alrededor de los extremos para evitar el deshilachado. Corte los extremos de la cinta del ribete a 2,5 cm (1") de la costura; superponga los extremos y asegúrelos con cinta transparente. Disponga los cordones de tal forma que los de la derecha queden hacia arriba y los de la izquierda para abajo.

3 Inserte los cordones en el extremo derecho bajo la cinta del ribete, retorciéndolos y tirándolos hacia abajo hasta que el ribete vuelva a su forma inicial. Asegúrelos allí con cinta transparente o con alfileres.

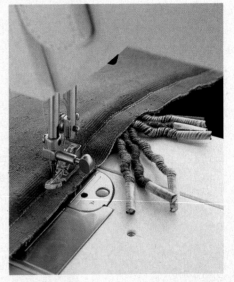

4 Retuerza y tire de los cordones en el extremo izquierdo por encima de los cordones del extremo derecho hasta que los extremos retorcidos se parezcan a un ribete trenzado continuo. Revise los lados del ribete.

5 Coloque el pisacostura de cremallera en el lado izquierdo de la aguja; ello le permitirá coser en la dirección de los giros del cordón. Embaste a máquina a través de todas las capas para fijar el ribete a la línea de la costura. Si lo prefiere, embaste a mano los cordones.

6 Coloque el respaldo del cojín sobre su cara frontal, con los derechos contra sí. Cosa cerca del ribete, valiéndose del pisacostura de cremallera u horquilla para cremallera; cosa de nuevo, teniendo el frente del cojín al derecho, llenando las puntadas lo más próximo al ribete.

MAS IDEAS PARA COJINES DECORATIVOS

La inserción de franjas constituye el punto focal del cojín de pana que aparece aquí arriba. Para completar la decoración se han agregado orlas de ribetes trenzados y borlas en las esquinas.

Los lazos decorativos trenzados y atados alrededor de cojines sencillos 'de filo' (foto izq.) le proporcionan un toque decorativo. Los extremos de los lazos terminan en casquillos de remate.

Los tejidos y los paños decorativos insertados destacan los cojines de la figura de abajo. Uno de ellos presenta un tejido central con realce de encajes y botones de antigüedad; el otro posee un paño de tapiz. Trencillas y costuras paralelas sobre los bordes enmarcan los dos recuadros decorados.

Flecos largos y trenzados *cuelgan graciosamente de los costados del cojín rectangular que aparece aquí arriba.*

Cordones de cuero, *tejidos entre sí, fueron insertados en las costuras de una de las esquinas del cojín de la izquierda. Los abalorios dispuestos al azar le dan un toque de color.*

Las borlas de lujo *le confieren un toque de elegancia a las esquinas de uno de los cojines sencillos.*

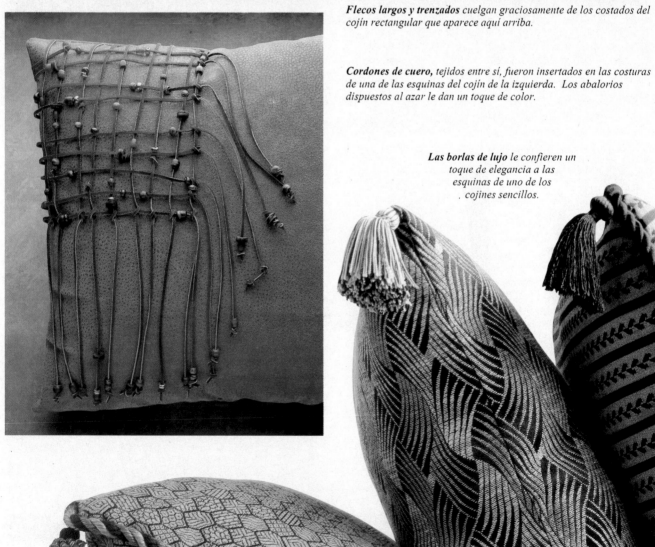

TAPETES PINTADOS A MANO

Exprese su creatividad elaborando un tapete diseñado por usted mismo con pintura decorativa o con un estarcido. Utilizando la entrada de la sala o una alfombra de área, para diseñarlo, un tapete puede convertirse en una pieza de arte digna de provocar comentarios elogiosos.

Al diseñar un tapete es buena idea hojear libros de arte o sobre edredones con el fin de buscar ideas y usar una fotocopiadora para ampliar el diseño del tamaño deseado. También puede reproducir un diseño ya existente en la sala, como el de un paño o el de un papel tapiz. Si desea un perfecto juego de colores, mande mezclar los colores de la pintura del tapete según su gusto para que armonicen con las muestras de paño o papel tapiz ya existentes en la sala.

Con una lona de 500 gramos o lona #8 se obtiene una superficie durable para tapetes y puede quedar bien llana sobre el piso. Se consiguen en anchos hasta de 152,5 cm (5 pies) en almacenes y en talleres de tapicería.

Pinte la lona con pinturas de látex, especiales para pisos y patios. Esta clase de pinturas es muy durable y se puede hacer mezclar según las especificaciones del cliente, por cuartos de galón (0,9 litros). O aplíquele un estarcido a la lona utilizando crayones de pintura con base en aceite, especialmente diseñados para estarcidos; este tipo de pintura no se vetea al aplicarla al tejido. Para proteger el tapete del efecto de abrasión séllelo con un acabado acrílico de uretano de látex no amarillable.

En caso de que se vaya a colocar la alfombra sobre una superficie lisa, como de linóleo o de cerámica, coloque una almohadilla antideslizante bajo el tapete.

TAPETE PINTADO A MANO

MATERIALES

- Una lona de 500 gramos (18 oz) o lona #8
- Pinturas para piso, en látex, en los colores deseados, rodillo para pintar, bandeja para el rodillo y brochas.
- Crayones de pintura a base de aceite y pinceles para estuncil, para el estarcido del tapete
- Sellador, para el caso convendría un acabado acrílico de uretano en látex no amarillable
- Brocha de cerdas sintéticas, para aplicar el sellador
- Plástico para protección de derrame o salpicaduras de pintura; escuadra de carpintería; regla.

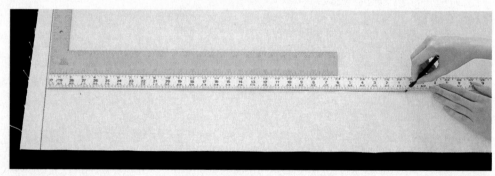

1 Corte los orillos de la lona. Marque la lona del tamaño deseado con lápiz, escuadra de carpintería y regla; corte la lona.

2 Cosa a máquina por toda la lona a 6 mm (1/4") de los bordes bastos; haga una segunda hilera de puntadas a 3 mm (1/8") de dichos bordes. Planche la lona para que quede completamente llana.

3 Coloque la lona sobre un plástico de protección. Valiéndose del rodillo para pintar, aplique el color de fondo, cuidando de no arrugar la lona; pinte con el rodillo en todas las direcciones para penetrar todo el tejido. Deje secar. Aplique capas adicionales según se requiera; déjela secando toda la noche. Corte las hilachas.

4 Marque el diseño, si lo desea, con lápiz. Pinte el diseño seleccionado aplicando un color a la vez. Utilice una brocha de punta fina para delinear y una más ancha para completar las áreas del diseño. Deje que la pintura se seque por 24 horas.

5 Aplique un sellador utilizando una brocha de cerdas sintéticas; deje secando por varias horas. Aplique dos capas más de sellante, atendiendo las instrucciones del fabricante con respecto al secado.

Estarcido del tapete. Prepare la lona (ver pasos 1 y 2 anteriores). Aplique el estarcido del diseño como se explicó en la sección de estarcido (págs. 72 a 75). Aplique el sellador como se indicó en el paso 5 anterior.

Este diseño de edredón ha sido ampliado para el tapete.

El diseño geométrico del paño de la silla fue reproducido para crear un tapete compañero.

La alfombra estarcida *repite el diseño que adorna las paredes.*

DETALLES EN PAPEL MACHE

Cree sus propios accesorios de diferentes géneros, tales como collage de pared, tazones y jarrones, elaborados en papel maché. El arte de hacer el papel maché requiere de un equipo y elementos básicos mínimos.

Se prepara la pulpa de papel en la licuadora y luego se vierte en un cubo o tina. Se levanta una capa de fibras de papel de la solución del recipiente por medio de una criba de malla y un marco denominados **molde y forma.** Luego de dejar escurrir completamente el agua, asiente el papel invirtiéndolo sobre una tela lisa y comprimiendo las fibras.

Para la elaboración de la pulpa para el papel maché se pueden utilizar muchos productos. Si desea lograr un papel resistente y de alta calidad, utilice pelusas de algodón (o tamo); dichas hojas preelaboradas en fibras de algodón se pueden adquirir en almacenes de fibras. Puede utilizarse papel como el de las cartas y tarjetas viejas, periódicos, papel para impresora de computador, papel de construcción y bolsas comunes de papel. Evite los papeles reciclados o el papel de superficie brillante. Las muestras que se utilicen para la pulpa determinarán el color del papel maché. Experimente mezclando diversos tipos de papel para elaborar la pulpa con el objeto de crear papel maché en diferentes texturas y colores. Igualmente, se podrá agregar a la mezcla de la pulpa tinturas para telas que sean apropiadas para aplicar en agua tibia.

EL MOLDE Y LA FORMA

MATERIALES

- Cuatro maderos de 23 cm (9") de longitud y cuatro de 30,5 cm (12"); o si lo prefiere, el tamaño de su selección
- Malla en fibra de vidrio.
- Tela metálica (cuadros más anchos que la malla) de 1,3 cm (1/2")

- Cinta para sellar tubería
- Barniz de poliuretano, opcional
- Grapadora; grapas inoxidables; corta-alambre; pegante para madera

1 Arme dos marcos de 23 x 30,5 cm (9" x 12") con los maderos, verificando que las esquinas ajusten exactamente y que queden rectangulares; asegure cada empalme con pegante para madera y una grapa. Si lo desea, aplique una o dos capas de barniz de poliuretano; deje secar. Coloque aparte uno de los marcos. Esa será la forma.

2 Corte la tela metálica de la medida que se acople al otro marco, utilizando un corta-alambre; fíjela al centro de cada lado con una grapa.

3 Corte la malla 2,5 cm (1") más amplia que el marco; colóquela encima de la tela metálica y engrápela al marco en el centro de cada lado, teniendo la malla bien tensa.

4 Continúe fijando la malla al marco con grapas, empezando por el centro de cada lado en dirección de las esquinas, siempre tensando la malla; coloque las grapas a intervalos de 2,5 cm (1").

5 Corte el exceso de malla. Aplique la cinta de sellar tubería, enrollándola alrededor de los lados del marco. Este marco será el molde.

MATERIALES

- Pelusa o tamo de algodón o un producto de papel (ver sección anterior), para la hechura de la pulpa
- Hojas de algodón o entretela no tejida, para la superficie de asentado
- Cubo
- Tina de al menos 15 cm (6") de profundidad
- Licuadora
- Esponja; escurridor o cedazo

1 Rasgue la pelusa de algodón o el material de papel en trozos pequeños, alrededor de 2,5 cm (1") cuadrados. Coloque los pedazos en un cubo con agua caliente; déjelos allí sumergidos toda la noche.

2 Llene el cubo hasta la mitad con agua tibia. Extienda las hojas de algodón o la entretela no tejida sobre una superficie lisa y plana para el asentamiento. Cuele los trozos de pelusa de algodón con un escurridor o un cedazo.

3 Vierta aproximadamente 0,47 l de agua en la licuadora. Agregue de 10 a 15 trozos de pelusa de algodón. Licúe utilizando arranques cortos de velocidad hasta que la pelusa de algodón se torne en pulpa; no licúe excesivamente. Vierta la pulpa en la tina.

4 Siga haciendo pulpa para agregarla a la tina hasta que la mezcla tenga una consistencia fangosa. Agite bien la mezcla con las manos.

5 Coloque el molde sobre el costado de la malla. Sostenga los bordes por los costados cortos y sumerja verticalmente el molde en un extremo de la tina; incline el molde horizontalmente, llevándolo por el fondo de la tina hasta el extremo opuesto de la misma. Sosteniendo el molde a nivel, levántelo de la tina.

6 Sacuda suavemente el molde de lado a lado, dispersando uniformemente las fibras; mantenga el molde nivelado. Deje que escurra el exceso de agua en la tina, sosteniendo el molde ligeramente inclinado.

7 Retire la cubierta teniendo cuidado de que el agua no gotee sobre la lámina de pulpa.

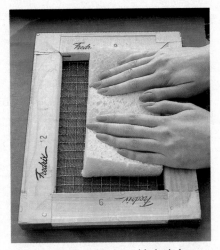

8 Coloque el molde, con el lado de la pulpa hacia abajo, encima de la lámina de algodón. Apisone para que salga el exceso de humedad y comprima las fibras utilizando esponja. Retire el molde.

9 Repita los pasos 5 a 8 para las láminas adicionales de algodón, agitando bien la mezcla cada vez antes de remojar el marco entre el recipiente. Las láminas más grandes se pueden hacer sobreponiendo los bordes y comprimiendo las franjas de unión por medio de una esponja. Agregue más pulpa al recipiente después de que elabore cada tres o cuatro láminas.

10 Deje secar el papel. Si desea un acabado liso y plano, déjelo secar al aire durante varias horas; luego humedezca las láminas de papel entre las capas de láminas de algodón. Prense el papel y la lámina de algodón entre las tablas.

11 Cuele el exceso de pulpa del recipiente, utilizando coladera o escurridor; no deje verter pulpa entre la coladera. Exprima la pulpa. Si quiere reutilizar la pulpa, deje que se seque al aire; la pulpa seca se tiene que volver a mojar antes de usarse de nuevo.

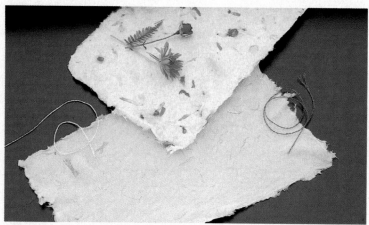

Decoración. Agregue detalles en la tina tales como hilos decorativos, hierbas y pétalos frescos o secos. O aplique detalles al papel después de asentarlo y asegurándolo con pulpa.

Plegado. Manipule el papel mientras se encuentre húmedo y plegándolo para crear arrugas y dobleces. Sostenga los pliegues según sea necesario utilizando hojas arrugadas o envoltura de papel plástico o papel parafinado.

Repujado. Comprima objetos tales como rejillas de alambre, ruedas de arreos y utensilios de cocina sobre el papel recién asentado.

COLLAGE DE PAPEL

1 Haga varias hojas de papel (véase págs. 112 a 113) en diferentes tamaños y formas; se puede rasgar el papel en trozos más pequeños o darle forma mientras esté húmedo.

2 Pinte el papel, si lo desea, utilizando una ligera capa de pintura en aerosol.

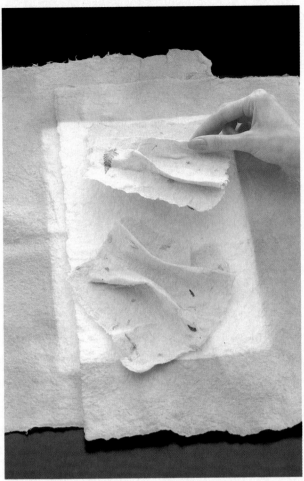

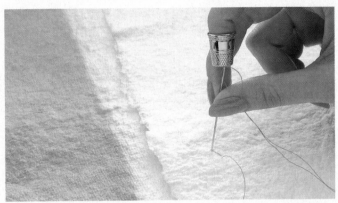

4 Arme el collage cosiendo cada pieza a la tablilla de montaje (pág. 96, enmarcado de textiles decorativos); comience por la pieza de fondo, dirigiéndose hacia la capa exterior. Oculte las puntadas cosiendo en áreas en las que las puntadas van a quedar por debajo de la siguiente capa.

3 Experimente formando capas de hojas de papel en posiciones diferentes hasta lograr un arreglo que le agrade.

5 Cosa o pegue adornos tales como tela metálica, abalorios y botones al papel. Enmarque el collage (ver págs. 92 a 97).

TAZON O JARRON EN PAPEL MACHE

1 Aplique una capa de líquido jabonoso en el interior del tazón o jarra. Reúna pulpa en el molde; escurra el exceso de agua.

2 Oprima la pulpa contra los lados y el fondo del tazón; exprima la pulpa con los dedos y nudillos. Utilice una esponja para absorber el exceso de agua periódicamente y para alisar la superficie interior. Deje que se seque el papel; el papel se separará del tazón.

IDEAS PARA DETALLES EN PAPEL MACHE

Las tiras entretejidas de papel maché (a la izq.), colocado sobre un amplio fondo, se utiliza en este arte enmarcado. Se le agregaron hilos decorativos a las tiras entretejidas de papel.

Esta colgadura de pared (foto inferior) se ha creado con tela metálica que hace de refuerzo. Asiente el papel maché sobre una porción de tela metálica. Una vez que se haya secado parcialmente, dele forma a la tela metálica según lo desee, doblándola. El efecto de acuarela se logra pintando el papel con aeorógrafo.

El collage de papel enmarcado (foto superior), en tonos neutros, se ha realzado con trocitos metálicos.

Los tazones y jarrones en variedad de formas y tamaños se exhiben en conjunto. El tazón de la derecha está conformado por dos tazas cuyas bases se han pegado; el cordón trenzado le da un toque de acabado.

ARREGLOS FLORALES

Las ramas secas de tallo largo dispuestas en ramos dentro de recipientes decorativos resultan ser arreglos sencillos y atractivos. Se pueden agrupar varios ramos de diferentes longitudes para obtener un mayor impacto.

Si prefiere arreglos florales de altura pronunciada, seleccione un recipiente lo suficientemente resistente como para sostener la altura de la planta. Si es necesario, agregue peso al fondo del recipiente por medio de piedras o arena.

ELABORACION DE UN ARREGLO FLORAL

MATERIALES

- Ramas y restos naturales secos como rosas, espliego o centeno
- Recipiente decorativo
- Espuma para arreglos florales
- Musgo de lámina o musgo español; alfileres
- Cinta decorativa de 1,4 m (1 1/2 yd) o serpentina de papel, opcional

1 Corte la espuma floral con cuchillo para que encaje ceñidamente en el recipiente y quede a aproximadamente 1,3 cm (1/2") del reborde superior; corte e inserte cuñas de espuma según sea necesario. Cubra la espuma con musgo y fíjela con alfileres florales.

3 Envuelva una cinta decorativa o una serpentina de papel alrededor del arreglo, si gusta; hágale luego un acabado de moño.

2 Inserte los tallos de las ramas naturales secas dentro de la espuma, comenzando por el centro y continuando en círculo hasta que logre la frondosidad deseada. Los tallos de las hileras exteriores se pueden dejar más cortos que los del centro.

Arreglo en hileras de ramas secas (arriba), en un recipiente ovalado. Las hojas de laurel y las granadas colocadas en la base de las ramas le dan un toque de acabado.

Manojo de trigo (izq.) arreglado a la manera tradicional y atado firmemente para darle nueva forma. Encima de la canasta se agruparon hortensias secas.

MAS IDEAS PARA ARREGLOS FLORALES

Arreglo de mieses y flores dispuesto en una pequeña maceta antigua de barro. Se ha anudado un moño cerca a la maceta para dejar que el grano brille sutilmente.

Rosas y gorro de bufón escalonados se han dispuesto de manera sencilla en una maceta decorativa.

Arreglo de rosas secas diminutas en una pequeña maceta metálica.

ARREGLOS CON ARBUSTOS SECOS

Los arreglos con ramas secas constituyen un detalle decorativo bien interesante. Las sinuosas ramas de árboles como el sauce resultan particularmente atractivas debido a su apariencia nudosa y retorcida. Las ramas ensortijadas recién recolectadas de sauce, disponibles en tiendas florales, son verdes pero se irán secando para adquirir tonos café.

Las ramas de sauce se pueden exhibir en diversos recipientes, desde amplias macetas de cerámica hasta canastas de poco fondo. Seleccione un recipiente que complemente el esquema decorativo de la sala. Para mantener firmes las ramas, fije el arreglo de sauce en yeso blanco.

ARREGLO CON ARBUSTOS (sauces) SECOS

MATERIALES

- Ramas ensortijadas de arbustos
- Musgo de lámina o musgo español
- Recipiente decorativo

- Yeso blanco; recipiente desechable para mezclarlo
- Cartón; cordón o bandas de caucho
- Hoja de aluminio resistente

1 Recubra el recipiente con dos hojas de papel aluminio dejándolas holgadas. Si el aluminio queda notándose en los costados del recipiente, coloque musgo entre la hoja del aluminio y el recipiente.

2 Corte el cartón para que encaje en el fondo del recipiente. El cartón evitará que las ramas perforen las hojas de aluminio. Deje las ramas de la altura deseada, cortándolas por la base. Una la parte inferior de las ramas atándolas con cuerda o con bandas de caucho.

3 Mezcle el yeso blanco según las instrucciones del fabricante. Vierta el yeso en la maceta; deberá quedar al menos con 10 cm (4") de profundidad. Al comenzar a espesarse el yeso, inserte las ramas. Sostenga las ramas hasta que el yeso se haya endurecido.

4 Doble el exceso de aluminio encima del yeso. Oculte el yeso con musgo. Si su recipiente es profundo, rellénelo con periódico y luego agréguele musgo. Quite la cuerda o las bandas de caucho después de 24 horas.

ARREGLOS PARA MESAS

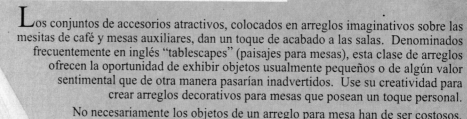

Los conjuntos de accesorios atractivos, colocados en arreglos imaginativos sobre las mesitas de café y mesas auxiliares, dan un toque de acabado a las salas. Denominados frecuentemente en inglés "tablescapes" (paisajes para mesas), esta clase de arreglos ofrecen la oportunidad de exhibir objetos usualmente pequeños o de algún valor sentimental que de otra manera pasarían inadvertidos. Use su creatividad para crear arreglos decorativos para mesas que posean un toque personal.

No necesariamente los objetos de un arreglo para mesa han de ser costosos. Dele un vistazo a toda su casa en busca de detalles tales como cerámicas o porcelanas, cajas decorativas y conchas marinas. Igualmente, pequeñas plantas, una pila de libros o fotografías familiares podrán aumentar el atractivo de las decoraciones para mesa.

Ensaye agrupando objetos de formas, tamaños y texturas diversas, cambiando la posición de los mismos hasta hallar el arreglo que más agrade a la vista. Repita algunas de las características distintivas de varias piezas, tales como el color, forma y textura, con el fin de dar una sensación de unidad y varíe la altura de los objetos en busca de un interesante efecto visual.

Los intensos tonos de color castaño le dan unidad a la decoración de este arreglo tradicional para mesa. Los tamaños y formas de los objetos aumentan el efecto.

Varios accesorios en pares se han utilizado para crear este arreglo decorativo mixto. Si bien, casi todos los detalles poseen colores relacionados, el audaz amarillo le da un toque de contraste.

Los atrevidos colores han sido unificados por un jarrón multicolor. En este arreglo contemporáneo para mesa se utilizan accesorios en una interesante variedad de formas. La berenjena constituye un elemento sorpresa.

Esta apariencia campestre anticuada se obtuvo combinando tesoros sentimentales con modernas reproducciones.

COLECCIONES

Con la exhibición de colecciones se logra un toque personal para las salas, pues reflejan la personalidad de quienes habitan allí. Ya sea que coleccione simples conchas marinas o finas figuras de porcelana, los detalles que poseen un significado especial para usted serán dignos de atención.

Para que las colecciones atraigan la atención, disponga los objetos en grupo; esparcidos por toda la sala pierden su impacto. Los anaqueles, estantes para libros y repisas son ideales para exhibir gran variedad de colecciones. Los escaparates en vidrio protegen los objetos frágiles. Al disponer los objetos, tenga siempre presente la proporción y el equilibrio para evitar aglomerar demasiados objetos. Si los detalles son demasiado pequeños para bastarse por sí mismos, agregue otras piezas para lograr cierto equilibrio. Utilice iluminación orientable o de realce a fin de destacar la colección.

Las garrafas (izq.) se han agrupado artísticamente sobre una mesa auxiliar.

Los candeleros (derecha) crean un arreglo lineal muy atractivo sobre cualquier mesa o repisa.

Los marcos coleccionables para cuadros con espejos en reemplazo de obras de arte crean una exposición unificada en la pared.

*Las **figuras primitivas** en **madera**,* de origen africano, dirigen la atención hacia la repisa de una sala mixta.

Las canastas tejidas a mano *pertenecientes a una colección de viajes se presentan sobre una chimenea (derecha). Estas canastas representativas de diferentes géneros le agregan un atractivo de textura a la sala.*

Objetos contemporáneos *de barro y cristal (abajo), cada uno de ellos de excepcional belleza fruto de talentosas manos, se exhiben como arreglo decorativo para una mesa, en una manera muy notoria (pág. 124).*

GLOSARIO

Abalorio:
Cuentecillas de vidrio o madera, agujereados, con que se hacen adornos y labores.

Avellanar:
Ensanchar los agujeros que se abren para los tornillos o clavos, a fin de que entre su cabeza por la pieza taladrada.

Cabritilla:
Nombre que se da a la piel curtida de cabrito o cordero y que tiene diversas aplicaciones en la industria.

Caperuza:
Cualquier pieza que generalmente remata en punta y cubre la parte superior de algo.

Cenefa:
Banda o tira sobrepuesta o tejida en los bordes de las cortinas, a lo largo de los muros o techos o en cubrecamas.

Drapear:
Colocar o plegar los paños o telas de la vestidura, y más especialmente, darles caída conveniente.

Embastar:
Coser con puntadas de hilo fuerte la tela que se va a bordar, hilvanar.

Estarcido:
Dibujo elaborado en un papel o tela mediante picado y que al pasar una brocha o rodillo, fija la imagen.

Filigrana:
Trabajo de orfebrería realizado con hilos de oro o plata que se disponen formando arabescos.

Imprimar:
Preparar las cosas que se han de pintar o teñir alisando su superficie.

Inglete:
Angulo de cuarenta y cinco grados que forma el corte de dos piezas que se han de unir o ensamblar.

Papel de estraza:
Clase de papel basto y áspero, sin blanquear.

Paspartú:
Recuadro de cartón o tela que se coloca entre el marco y el objeto enmarcado, para conseguir que éste resalte más.

Postigo:
Puertecilla que cierra los cristales de una ventana o balcón.

Puf:
Taburete cuadrado o cilíndrico tapizado y sin patas.

Segueta:
Sierra empleada en oficios varios de marquetería y trabajos pequeños de ebanistería.

Triplex:
Láminas de madera prefabricada empleadas en trabajos de ebanistería.

INDICE

CY DECOSSE INCORPORATED
Chairman: Cy DeCosse
President: James B. Maus
Executive Vice President:
  William B. Jones

DECORATING THE LIVING ROOM
Created by: The Editors of
  Cy DeCosse Incorporated

Executive Editor: Zoe A. Graul
Technical Director: Rita C. Opseth
Project Manager: Joseph Cella
Assistant Project Manager: Diane
  Dreon-Krattiger
Senior Art Director: Lisa Rosenthal
Art Director: Brad Springer
Writer: Rita C. Opseth
Editor: Janice Cauley
Sample Supervisor: Carol Olson

Photo Coordinator: Diane Dreon-Krattiger
Technical Photo Director: Bridget
  Haugh
Styling Director: Bobbette Destiche
Crafts Stylist: Joanne Wawra
Research Assistant: Lori Ritter
Artisans: Ray Arndt, Sr., Phyllis
  Galbraith, Bridget Haugh, Sara
  Macdonald, Linda Neubauer, Carol
  Pilot, Nancy Sundeen
*Director of Development Planning
  & Production:* Jim Bindas
Photo Studio Managers: Mike Parker,
  Cathleen Shannon
Assistant Studio Manager: Rena Tassone
Lead Photographer: Mike Parker
Photographers: Rex Irmen, John
  Lauenstein, Bill Lindner, Paul Najlis
Contributing Photographers: Phil
  Aarestad, Kim Bailey, Rebecca
  Hawthorne, Paul Herda, Charles
  Nields, Brad Parker, Marc Scholtes
Photo Stylist: Susan Pasqual
Production Manager: Amelia Merz
Electronic Publishing Specialist: Joe Fahey
Production Staff: Adam Esco, Jeff
  Hickman, Mike Schauer, Nik Wogstad
Shop Supervisor: Phil Juntti

Scenic Carpenters: Curtis Lund, John
  Nadeau, Tom Rosch, Greg Wallace
Consultants: Ray Arndt, Sr., Amy Engman,
  Pam Enz, Dee Ginther, Carolyn
  Golberg, Wendy Fedie, Letitia Little,
  Lindsey Peterson, Peter van Dyke,
  Verna von Goltz, Donna Whitman
Contributors: Coats & Clark Inc.; Conso
  Products Company; Dritz Corporation;
  Dyno Merchandise Corporation; Lisa
  Ellias, The Gathering; P. G. Gravele, MJL
  Impressions; Putman Company; The
  Singer Company; Stencil Ease;
  Swiss-Metrosene, Inc.; Watson Smith;
  Waverly, Division of F. Schumacher
  & Company